PRISMA DETECTIVE
517
DOROTHY SAYERS
LORD PETER CONTRA DE FAMILIEMOORD

LORD PETER
CONTRA
DE FAMILIEMOORD
DOROTHY L SAYERS

Uitgeverij Het Spectrum
Utrecht/Antwerpen

Oorspronkelijke titel: *Clouds of Witness*
Vertaald door M. Mok
Vormgeving: Studio Spectrum
Illustratie omslag: Francien van Westering
Eerste druk in de PD-reeks 1983
Eerder verschenen als Prisma 390

04-0517.01   D 1983/0265/223   ISBN 90 274 3934 6

CIP-GEGEVENS

hoofdstuk 1

LORD PETER WIMSEY rekte zich behaaglijk uit tussen de door Hôtel Meurice verschafte lakens. Na al de beslommeringen die het ontrafelen van het Batterseamysterie hem bezorgd had, had hij de raad van sir Julian Freke opgevolgd, en vakantie genomen. Hij had er plotseling genoeg van gehad om elke morgen te ontbijten met uitzicht over Green Park; hij was zich er rekenschap van gaan geven dat het oppikken van zeldzame boeken en eerste uitgaven in tweedehands winkels en op verkopingen onvoldoende lichaamsbeweging vormde voor een man van drieëndertig, en dat, momenteel althans, zelfs de wereld van de misdaad hem niets belangwekkends te bieden had. Hij had zijn huis en zijn vrienden aan hun lot overgelaten en de vlucht genomen naar de wildernis van Corsica. De laatste drie maanden had hij geen brieven, geen kranten en geen telegrammen meer ingekeken. Hij had gezworven door de bergen, op veilige afstand de romantische schoonheid van de Corsicaanse vrouwen bewonderd en de vendetta in haar eigen omgeving bestudeerd. Onder dergelijke omstandigheden scheen moord niet slechts redelijk, maar zelfs aantrekkelijk. Bunter, zijn bediende en mededetective, had grootmoedig afstand gedaan van zijn beschaafde gewoonten, zijn heer slordig en zelfs ongeschoren laten rondlopen, en zijn trouwe camera ditmaal nu eens niet gebruikt voor het vastleggen van vingerafdrukken, maar uitsluitend voor het fotograferen van woeste natuurtaferelen. Het was, alles bij elkaar genomen, een prettige afwisseling geweest.

Vandaag, evenwel, riep hem de stem des bloeds! Laat de vorige avond waren zij met een ongelukkige trein in Parijs aangekomen en hadden hun bagage afgehaald. Het herfstlicht, dat door de gordijnen naar binnen zeefde, streelde liefkozend de zilveren stoppen van de flacons op de toilettafel, speelde over de kap van een elektrische lamp en een telefoontoestel. Gerucht van stromend water dichtbij maakte het duidelijk dat Bunter het bad (w. & k.) vol liet lopen en bezig was met het gereedleggen van de geparfumeerde zeep, het badzout, de reusachtige spons, die tijdens het verblijf op Corsica werkeloos was gebleven, en de harde borstel met het lange handvat, waarmee men zich zo behaaglijk over de hele ruggegraat kon raspen. 'Tegenstelling,' lag lord Peter dromerig te overwegen, 'is de essentie van het leven. Corsica - Parijs - Londen ... Goede morgen, Bunter.'

'Goede morgen, my lord. En prachtig weer, my lord. Uw bad is gereed, my lord.'

'Dank je.' Lord Peter knipperde tegen het zonlicht.

Het was een verrukkelijk bad. Hij begon zich, lui uitgestrekt in het warme water, af te vragen hoe hij het op Corsica zo lang zonder had kunnen stellen. Plassend en spattend begon hij te zingen, enkele noten van een populair deuntje. Toen hij een ogenblik zijn mond hield en weer dromerig in het water lag, hoorde hij een bediende koffie en kadetjes binnenbrengen. 'Koffie en verse kadetjes!' Met één sprong was hij uit het bad, droogde zich lui en behaaglijk af, wikkelde zich in een zijden badmantel en slenterde naar de slaapkamer terug.

Tot zijn stomme verbazing zag hij dat Bunter bezig was alle toiletartikelen weer in hun etui te plaatsen. Met zo mogelijk nog grotere verbazing zag hij dat de koffers - de vorige avond amper geopend - reeds weer ingepakt waren, van etiketten voorzien, en reisvaardig.

'Wel, allemachtig, Bunter, wat is er nou aan de hand?' vroeg hij. 'Ik was van plan veertien dagen hier te blijven, weet je!'

'Vraag excuus, my lord,' zei Bunter niet in het minst uit zijn evenwicht gebracht. 'Maar ik heb *The Times* ingekeken (het blad wordt dagelijks per vliegtuig geexpedieerd) en dus twijfelde ik er niet aan dat uw lordschap er de voorkeur aan zou geven meteen naar Riddlesdale te gaan.'

'Riddlesdale?' riep Peter verbaasd uit. 'Waarom? ... Is m'n broer niet wel of zo?'

Bij wijze van antwoord overhandigde Bunter hem de krant, opengevouwen bij de kop:

Lord Peter stond een ogenblik als verlamd.

'Hoe laat gaat er een trein? . . .' vroeg hij.

'Vraag excuus, my lord. Ik nam stilzwijgend aan dat uw lordschap liever per snelste gelegenheid zou vertrekken, en dus heb ik twee plaatsen geboekt in het vliegtuig de *Victoria*, voor de vlucht van 11.30.'

Lord Peter keek op zijn horloge.

'Tien uur,' zei hij. 'Uitstekend. Ja. Wat ik vragen wou, wie is met 't geval belast?'

'Parker, my lord.'

'Parker? Dat treft. Fijne vent, die Parker. Ik vraag me af hoe hij 't heeft aangelegd om met die affaire belast te worden. Hoe ziet 't er uit, Bunter?'

'Een hoogst belangwekkend onderzoek, zou ik zo zeggen, my lord. De getuigenverklaringen bevatten enkele merkwaardige punten, my lord, zeer merkwaardige.'

'Heden werd te Riddlesdale, in de North Riding van Yorkshire, het vooronderzoek gehouden in zake de moord op kapitein Denis Cathcart, wiens ontzielde lichaam om drie uur in de nacht van woensdag op donderdag even buiten de serre-deur van het jachthuis van de hertog van Denver, Riddlesdale Lodge genaamd, aangetroffen werd. Uit de getuigenverklaringen bleek, dat de vermoorde in de loop van de avond twist had gehad met de hertog, en later in het struikgewas naast het huis was neergeschoten. Op enige afstand van de plek der misdaad werd een pistool gevonden dat het eigendom bleek te zijn van de hertog. De uitspraak van de gezworenen luidde: moord. De hertog van Denver is verdacht van moord, gearresteerd. Lady Mary Wimsey, een zuster van de hertog, en de verloofde van het slachtoffer, viel na het afleggen van haar verklaring in zwijm, en ligt nu ernstig ziek in de Lodge te bed. De hertogin van Denver is gisteren haastig uit Londen overgekomen en was op de zitting aanwezig. Volledig verslag op pagina 12.'

'Arme Gerald!' overwoog lord Peter, terwijl hij pagina 12 opsloeg; 'en wat een slag voor Mary! Ik vraag me af of ze werkelijk van die Cathcart hield. Moeder zei altijd van niet, maar Mary liet zich er nooit over uit.'

Het volledige verslag begon met een beschrijving van het gehucht Riddlesdale, waar de hertog van Denver onlangs, voor de duur van het jachtseizoen, een jacht-huis had gehuurd. Op het tijdstip van de moord had de hertog enkele gasten te logeren gehad. Lady Mary Wimsey was als gastvrouw opgetreden, aangezien de hertogin afwezig was. De andere gasten waren kolonel en mevrouw Marchbanks, de hon. Frederick Arbuthnot, de heer en mevrouw Pettigrew-Robinson, en de over-ledene, Denis Cathcart.

De eerste getuige was de hertog van Denver zelf, die verklaarde dat hij donderdag 14 oktober om drie uur 's morgens thuisgekomen was en door de serre-deur naar binnen had willen gaan, maar in het donker ergens tegen aan gelopen was. Daarop had hij zijn zaklamp ontstoken en het lijk van Denis Cathcart voor zijn voeten zien liggen. Hij had het lijk meteen omgekeerd en gezien dat het slachtoffer in de borst geschoten was. De levensgeesten waren reeds geweken. Terwijl Denver nog over het lijk gebogen stond, hoorde hij een gil in de serre. Hij had zich onmiddellijk opgericht en gezien dat het lady Mary Wimsey was, die in stomme ontzet-ting voor zich uit staarde. Zij was eindelijk door de serre-deur naar buiten gekomen, en had meteen uitge-roepen: 'O Gerald, je hebt hem vermoord!' (Sensatie.)

Coroner: 'Verbaasde die uitroep u?'

Hertog van D.: 'Wel, ik was er erg overstuur van en helemaal van streek. Ik geloof, dat ik gezegd heb, "Kijk niet", en daarop zei zij, meen ik, "Oh, 't is Denis! Wat is er in 's hemelsnaam gebeurd? Is 't een ongeluk?" Ik ben toen de wacht blijven houden bij het lijk, en heb haar naar huis gezonden om de anderen te waarschuwen.'

Coroner: 'Verwachtte u, dat lady Mary Wimsey in de serre was?'

Hertog van D.: 'Werkelijk, ik was zo overstuur dat ik amper denken kon.'

Coroner: 'Herinnert u zich hoe zij gekleed was?'

Hertog van D.: 'Ik geloof niet dat ze haar pyjama aan had.' (Gelach.) 'Ze had een mantel aan, geloof ik.'

Coroner: 'Lady Mary Wimsey was, meen ik, met de overledene verloofd?'

Hertog van D.: 'Ja.'

Coroner: 'U kende hem goed?'

Hertog van D.: 'Hij was de zoon van een oude vriend van mijn vader. Zijn ouders zijn dood. Ik geloof, dat hij vrijwel altijd in het buitenland vertoefde. Ik ontmoette hem tijdens de oorlog, en in 1919 heeft hij bij ons in Denver gelogeerd. In het begin van dit jaar hebben mijn zuster en hij zich verloofd.'

Coroner: 'Met uw toestemming, en die van de familie?'

Hertog van D.: 'O ja, zeer zeker.'

Coroner: 'Wat was kapitein Cathcart voor iemand?'

Hertog van D.: 'Wel . . . hij was in elk geval een man van beschaving en opvoeding. Ik weet niet wat hij deed voordat hij in 1914 dienst nam. Ik geloof, dat hij van zijn geld leefde. Zijn vader was zeer vermogend. Een goed schutter en een sportliefhebber en wat dies meer zij. Ik had nooit enig kwaad van hem gehoord . . . tot op die bewuste avond.'

Coroner: 'En wat was dàt?'

Hertog van D.: 'Wel . . . de kwestie is . . . 't was erg vreemd. Hij . . . Als iemand anders dan Tommy Freeborn 't me verteld had, zou ik 't nooit geloofd hebben.' (Sensatie.) 'Maar toen ik Cathcart om een verklaring vroeg, gaf hij tot mijn stomme verbazing ronduit toe dat 't waar was! Daarop werden we beiden driftig. Hij zei dat ik naar de duvel kon lopen, en stormde het huis uit.' (Hernieuwde sensatie.)

Coroner: 'Wanneer had die twist plaats?'

Hertog van D.: 'Woensdagavond. En dat was tevens de laatste keer dat ik hem gezien heb.' (Groeiende sensatie.) 'We hadden een lange en vermoeiende dag in de buitenlucht achter de rug, en zo tegen een uur of halftien hadden de meesten van ons slaap. Mijn zuster en mevrouw Pettigrew-Robinson waren al naar boven, en wij speelden nog een partijtje biljart toen Fleming, mijn bediende, met de post binnenkwam. Onze post komt

9

vaak 's avonds laat en op de gekste uren, omdat we zo ver van 't dorp af zitten. Nee . . . ik was op dat moment niet in de biljartkamer . . . Ik was bezig de wapenkamer af te sluiten. Het was een brief van een oude vriend van me die ik in geen jaren gezien had - Tom Freeborn - en hij schreef dat hij de verlovingsadvertentie van mijn zuster in Egypte gezien had.'

Coroner: 'In Egypte?'

Hertog van D.: 'Ik bedoel, dat *hij* in Egypte was - Tom Freeborn, ziet u. Daarom had hij niet eerder geschreven. Hij is ingenieur. Na de oorlog is hij daarheen gegaan, hij zit ergens bij de bronnen van de Nijl. Vandaar dat hij niet regelmatig de krant krijgt.

Hij zei, dat 't een nogal delicate aangelegenheid was en zo, en vroeg of ik 't vooral niet als bemoeizucht wou beschouwen, maar wist ik wie die Cathcart feitelijk was? Hij zei dat hij hem tijdens de oorlog in Parijs ontmoet had, en dat hij zijn brood verdiende met vals spelen . . . kaarten en zo. Hij kon erop zweren, zei hij, en er de nodige bijzonderheden bij vertellen, betreffende een schandaal in een of andere Franse stad. Hij had de foto van Cathcart in de krant gezien en 't zijn plicht geacht mij te waarschuwen.'

Coroner: 'Was u verbaasd over die brief?'

Hertog van D.: 'Ik kon 't eerst eenvoudig niet geloven. Als die brief niet van Tommy Freeborn afkomstig was geweest, zou ik 'm zonder meer verbrand hebben. Maar hoe meer ik erover nadacht, hoe minder 't mij beviel. Maar ik kon 't er bezwaarlijk bij laten, en dus leek 't mij 't beste er regelrecht mee naar Cathcart te gaan. Ik ging naar boven en klopte op de deur van de kamer van Cathcart en ging meteen naar binnen. "Neem me niet kwalijk," zei ik, "maar ik heb 't een en ander met je te bespreken . . . De kwestie is, dat ik net een brief gekregen heb die mij helemaal niet bevalt, en 't leek mij 't beste de zaak zonder verdere omhaal met je te bespreken. 't Betreft een brief van iemand - een eersteklas vent - een oude vriend van me, die beweert dat hij jou in Parijs ontmoet heeft." . . . "Parijs?" zei hij op een bijzonder onaangename manier. "Parijs? Waarom moet je daarover aan m'n kop komen zaniken?... Wat wil je van me?" . . . "De brief is afkomstig van een zekere Freeborn, die zegt dat hij jou in Parijs gekend heeft en dat jij je brood verdiende met vals spel" . . . Ik verwachtte natuurlijk dat hij meteen op zou vliegen, maar hij vroeg brutaalweg: "En wat dan nog?" . . . "Wat dan nog?" zei ik. "Ik geloof 't natuurlijk niet, zo zonder meer zonder bewijs." Hij zei: "Wat jij van iemand gelooft, doet er niet toe, waar 't op aankomt is . . . wat je van iemand weet." Ik zei toen: "Bedoel je daarmee, dat je de beschuldiging niet ontkent?" . . . "Ontkennen heeft geen zin," zei hij. "Je moet zelf beslissen. Niemand kan het tegendeel bewijzen." En toen sprong hij ineens op en smeet de tafel bijna ondersteboven. Ik zei dat ik 't zeker niet voetstoots geloofde en dat er hoe dan ook een vergissing in het spel moest zijn. "Maar," zei ik, "je bent verloofd met m'n zuster, en dus ben ik wel genoodzaakt er dieper op in te gaan, niet?" . . . "O," zei Cathcart, "maak je dáár geen zorg over. Die verloving is uit . . . Ik heb 't haar nog niet verteld . . ." "Wel," zei ik, "dàt noem ik fraai. Wie denk jij wel dat je bent . . . mijn zuster op zo'n onbeschofte manier te bejegenen? . . . M'n huis uit! Een schoft zoals jij wil ik niet langer onder m'n dak hebben." . . . "Met genoegen," zei hij, en schoof mij opzij en stormde naar beneden en smakte de voordeur achter zich dicht. Ik rende naar mijn slaapkamer die vlak boven de serre ligt, opende het raam en riep hem toe zich niet zo krankzinnig aan te stellen. Het regende dat het goot en 't was beestachtig koud. Maar hij kwam niet terug, en dus gaf ik Fleming opdracht de deur van de serre niet op slot te doen - in geval hij terug mocht komen - en ben naar bed gegaan.'

Coroner: 'Kunt u het gedrag van Cathcart verklaren?'

Hertog van D.: 'Ik vermoed dat hij er op enige manier lucht van had gekregen dat die brief onderweg was, en dus wist hij dat hij op 't punt stond ontmaskerd te worden.'

Coroner: 'Hebt u de kwestie nog met iemand anders besproken?'

Hertog van D.: 'Nee.'

Coroner: 'U liet de zaak dus verder op z'n beloop?'

Hertog van D.: 'Ja. Ik voelde er weinig voor om hem achterna te gaan rennen.'

Coroner: 'Dus u ging kalm naar bed en hebt de overledene niet meer gezien?'

'Niet, in elk geval, tot ik 's nachts om drie uur bij de serre over hem struikelde.'

Coroner: 'Juist. Kunt u ons zeggen waarom u op dat uur buitenshuis vertoefde?'

Hertog van D. (aarzelend): 'Ik kon de slaap niet vatten. Ik ben een wandeling gaan maken.'

Coroner: 'Om hoe laat verliet u uw slaapkamer?'

Hertog van D.: 'Eh ... eh, om een uur of half drie, denk ik.'

Coroner: 'Hoe bent u naar buiten gegaan?'

Hertog van D.: 'Door de deur van de serre.'

Coroner: 'Het lijk lag er niet toen u buiten kwam?'

Hertog van D.: 'Nee, zeker niet!'

Coroner: 'En waar bent u naar toe gewandeld?'

Hertog van D. (schouderophalend): 'O, zo'n beetje hier en daar.'

Coroner: 'U hebt geen schot gehoord?'

Hertog van D.: 'Nee.'

Coroner: 'Hebt u zich ver verwijderd van de serre en het struikgewas?'

Hertog van D.: 'Wel, enigszins, ja.'

Coroner: 'Een halve kilometer ver, bijvoorbeeld?'

Hertog van D.: 'Dat denk ik wel, ja. - O ja, zeker! Ik zette er de pas in omdat 't zo koud was.'

Coroner: 'In welke richting?'

Hertog van D. (kennelijk aarzelend): 'Achter 't huis langs. In de richting van de tennisbanen.'

Coroner: 'De tennisbanen?'

Hertog van D. (met meer zelfvertrouwen): 'Ja.'

Coroner: 'Maar als u zo ver gegaan bent, moet u de bij het huis behorende gronden verlaten hebben.'

Hertog van D.: 'Ik ... o ja ... waarschijnlijk wel. Ja, ik heb een beetje op de hei rondgedwaald.'

Coroner: 'Kunt u ons de brief van Freeborn laten zien?'

Hertog van D.: 'Natuurlijk ... dat wil zeggen, als ik 'm tenminste vinden kan. Ik dacht, dat ik die brief in m'n zak gestoken had, maar toen die man van Scotland Yard erom vroeg kon ik 'm ook al niet vinden.'

Coroner: 'Is 't mogelijk, dat u die brief per ongeluk vernietigd hebt?'

Hertog van D.: 'Nee, ik weet zeker dat ik 'm ... O! ...' (Op dit punt aarzelde getuige, kennelijk in de war gebracht, en bloosde.) ... 'Ik herinner 't me nu, ja. Ik heb die brief inderdaad vernietigd.'

Coroner: 'Hebt u bij geval de envelop bewaard?'

Getuige schudde het hoofd.

Coroner: 'Dus kunt u onmogelijk bewijzen dat u die brief inderdaad ontvangen hebt?'

Hertog van D.: 'Nee, tenzij Fleming 't zich herinnert.'

Coroner: 'Ja! Dat is inderdaad een mogelijkheid. Dank u, hoogheid ... Lady Mary Wimsey.'

De adellijke jongedame verwekte bij haar verschijning een onmiskenbare golving van welwillende en sympathieke gevoelens. Zij was geheel in het zwart, en legde met zwakke, nu en dan schier onhoorbare stem, haar verklaring af.

Na zijn leedwezen te hebben betuigd, vroeg de coroner:

'Hoelang bent u reeds met de overledene verloofd geweest?'

Getuige: 'Een maand of acht.'

Coroner: 'Waar hebt u hem voor het eerst ontmoet?'

Getuige: 'Bij mijn schoonzuster, in Londen.'

Coroner: 'En wanneer was dat?'

Getuige: 'Verleden jaar juni, denk ik.'

Coroner: 'U ontmoette kapitein Cathcart natuurlijk dikwijls. Sprak hij u vaak over zijn vroegere leven?'

Getuige: 'Niet vaak. Overgrote wederzijdse vertrouwelijkheid lag niet in onze aard. Doorgaans spraken we over onderwerpen die ons allebei interesseerden.'

Coroner: 'Waren er veel onderwerpen waarin u beiden belang stelde?'

Getuige: 'Ja zeker.'

Coroner: 'Vertelde hij weleens over zijn leven in Parijs?'

Getuige: 'Ja, over theaters en amusementsgelegenheden. Hij kende Parijs door en door. In februari lo-

13

geerde ik bij vrienden in Parijs, toen hij er ook was. Wij gingen vaak met hem uit. Dat was vlak na onze verloving.'

Coroner: 'Sprak hij ooit over kaarten in Parijs?'

Getuige: 'Niet voor zover ik me herinner.'

Coroner: 'Wat uw voorgenomen huwelijk betreft ... is er dienaangaande ooit gesproken over een financiële regeling?'

Getuige: 'Dat denk ik niet. De datum van ons huwelijk stond zelfs nog geenszins vast.'

Coroner: 'Hij scheen altijd over voldoende middelen te beschikken?'

Getuige: 'Dat denk ik wel, maar ik heb er feitelijk nooit bij stilgestaan.'

Coroner: 'Was kapitein Cathcart opgewekt, levenslustig?'

Getuige: 'Erg wisselvallig en wispelturig. Zijn stemming veranderde van dag tot dag.'

Coroner: 'U hebt gehoord wat uw broer gezegd heeft omtrent het voornemen van de overledene om de verloving af te breken. Verwachtte of vermoedde u iets dergelijks?'

Getuige: 'Allerminst.'

Coroner: 'Voor zover u dus bekend, was u woensdagavond nog steeds met overledene verloofd en bestonden er nog steeds trouwplannen?'

Getuige: 'Ja ... Ja, natuurlijk.'

Coroner: 'Kapitein Cathcart maakte niet de indruk van iemand die - (excuseer de pijnlijke kwestie, lady Mary) - gemakkelijk de hand aan zichzelf zou slaan?'

Getuige: 'Eh ... daar heb ik feitelijk nooit aan gedacht, nooit bij stilgestaan. Maar ... ik weet 't niet ... Ik acht 't niet uitgesloten.'

Coroner: 'En nu, lady Mary wilt u ons misschien nauwkeurig vertellen wat u woensdagnacht en donderdagmorgen hebt gezien?'

Getuige: 'Om een uur of half tien ben ik met mevrouw Marchbanks en mevrouw Pettigrew-Robinson naar boven gegaan. De mannen bleven beneden. Ik ben Denis welterusten gaan zeggen, en ik merkte niets bijzonders aan hem. Ik was niet beneden toen de post gebracht werd. Ik ben meteen naar mijn kamer gegaan. Mijn kamer ligt aan de achterkant van het huis. Om een uur of tien hoorde ik Pettigrew-Robinson naar boven komen. De Pettigrew-Robinsons hebben de kamer naast de mijne. Tegelijkertijd kwamen er ook nog enkele anderen van de heren boven, maar mijn broer heb ik niet boven horen komen. Ongeveer kwart over tien hoorde ik in de gang twee mannen luid en hard tegen elkaar praten, en toen hoorde ik iemand naar beneden rennen en de deur dichtsmijten en tenslotte hoorde ik mijn broer z'n deur dichtdoen. Daarop ben ik naar bed gegaan.'

Coroner: 'Wat gebeurde er verder?'

Getuige: 'Om drie uur 's nachts werd ik wakker. Ik hoorde een schot.'

Coroner: 'U was niet wakker eer u het schot hoorde?'

Getuige: 'Misschien was ik half wakker. Ik hoorde het zeer duidelijk. Ik wist zeker dat het een schot was. Ik ben een paar minuten blijven liggen luisteren, en toen naar beneden gegaan om te zien of er onraad was.'

Coroner: 'Waarom hebt u toen uw broer of een van de andere heren niet geroepen?'

Getuige (verontwaardigd): 'Waarom zou ik? Ik geloofde trouwens niet dat er iets ernstigs aan de hand was. Hoogstens een stroper, dacht ik.'

Coroner: 'Had u de indruk dat het schot dichtbij het huis afgevuurd werd?'

Getuige: 'Tamelijk dichtbij.'

Coroner: 'Het werd volgens u niet binnenshuis of in de serre afgevuurd?'

Getuige: 'Nee, buitenshuis.'

Coroner: 'U bent dus helemaal alleen naar beneden gegaan. Dat was erg flink van u, lady Mary. Bent u onmiddellijk gegaan?'

Getuige: 'Nee. Ik denk dat ik een minuut of vijf na het horen van het schot uit mijn slaapkamer gekomen ben. Ik ging naar beneden en door de biljartkamer naar de serre.'

Coroner: 'Waarom koos u juist die weg?'

Getuige: 'Omdat dat vlugger was dan de voor- of achterdeur te ontgrendelen.'

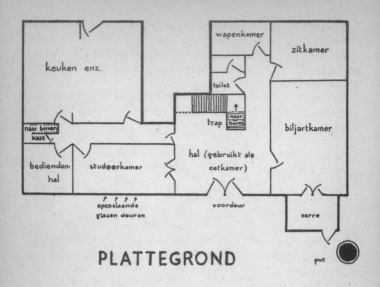

PLATTEGROND

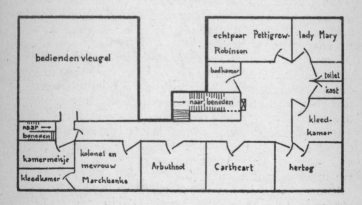

Op dit punt werd de jury een plattegrond van Riddlesdale Lodge overhandigd. Het is een groot en ruim huis met twee verdiepingen, zonder architectonische pretenties. De eigenaar, Walter Montague, die momenteel in de V.S. vertoeft, heeft het voor de duur van het jachtseizoen verhuurd aan de hertog van Denver.

Getuige (haar verklaring weer opvattend): 'Toen ik de deur van de serre bereikte, zag ik buiten een man staan die zich bukte over iets dat op de grond lag. Toen hij opkeek, zag ik tot mijn verbazing dat het mijn broer was.'

Coroner: 'Zijne hoogheid heeft ons verteld dat u, toen u hem zag, uitriep: 'O Gerald, je hebt hem vermoord!' Kunt u ons vertellen wat u die woorden in de mond gaf?'

Getuige (verblekend): 'Ik dacht dat mijn broer de inbreker betrapt had en uit zelfverdediging geschoten had ...'

Coroner: 'Wat deed u verder?'

Getuige: 'Mijn broer stuurde mij eropuit om hulp te gaan halen. Ik heb eerst Arbuthnot en vervolgens de heer en mevrouw Pettigrew-Robinson wakker gemaakt, en toen voelde ik me plotseling duizelig worden en ben naar mijn slaapkamer gegaan waar ik een opwekkend middel ingenomen heb.'

De getuige, die tot dusverre kalm en beheerst, hoewel met gedempte stem, haar verklaring had afgelegd, zakte op dit ogenblik plotseling in elkaar en werd haastig naar buiten gebracht.

Vervolgens werd als getuige opgeroepen James Fleming, de bediende van de hertog. Hij herinnerde zich dat hij woensdagavond om 9.45 uit Riddlesdale terug was met de post. Hij had de hertog, die zich op dat moment in de wapenkamer bevond, drie of vier brieven overhandigd. Hij wist zich echter niet te herinneren of er een brief met een Egyptische postzegel bij was geweest. Hij was geen postzegelverzamelaar; hij verzamelde handtekeningen.

Daarna legde de Hon. Frederick Arbuthnot zijn verklaring af. Even voor tienen was hij met de rest van het gezelschap naar boven gegaan. Enige tijd later had hij Denver alleen boven horen komen - hoeveel later wist hij niet precies. Had ongetwijfeld luide stemmen gehoord en ruzie horen maken. Hij had om de hoek van de deur gekeken en Denver in de gang gezien, en gevraagd: 'Hallo, Denver, waarom ga je zo te keer?' Denver was zijn kamer weer binnengeschoten en had uit het raam liggen brullen: 'Stel je niet zo aan, man!' Hij was kennelijk bliksems nijdig, maar de Hon. Freddy nam dat niet al te ernstig. Denver vloog altijd immers zo gauw op. Cathcart? Die kende hij feitelijk pas. Fatsoenlijke kerel, voor zover hij wist, maar . . . nee, mogen deed hij hem niet bepaald. Hij had nooit horen beweren dat de man een valse speler was! En, nee . . . ook in 's mans verhouding tot lady Mary, of vice versa, was hem niets bijzonders opgevallen. Maar hij was dan ook niet bepaald wat je noemt een scherp opmerker. Van die ruzie, woensdagavond, had hij zich verder niets aangetrokken. Was naar bed gegaan en in slaap gevallen.

Coroner: 'Verder hebt u die nacht niets meer gehoord?'

Getuige: 'Niet tot Mary me kwam wekken. Toen ben ik naar beneden gegaan, en in de serre trof ik Denver die bezig was het hoofd van Cathcart te wassen.'

Coroner: 'U hebt geen schot gehoord?'

Getuige: 'Helemaal niets, maar ik slaap dan ook vrij vast.'

Kolonel en mevrouw Marchbanks sliepen in de kamer boven de studeerkamer. Beiden gaven een gelijkluidend verslag omtrent een tussen hen beiden om 11.30 uur gevoerd gesprek. Mevrouw Marchbanks had nog enkele brieven zitten schrijven terwijl de kolonel reeds in bed lag. Zij hadden stemmen en heen en weer geloop gehoord, maar er geen notitie van genomen, want het was niets ongebruikelijks.

Pettigrew-Robinson scheen niet dan met de grootste tegenzin als getuige op te treden. Hij en zijn vrouw waren om tien uur naar bed gegaan. Zij hadden de hertog met Cathcart horen twisten. Vrezend, dat het tot handtastelijkheden of erger zou kunnen komen, had getuige de deur van de kamer geopend, juist op tijd om de hertog te horen zeggen: 'Als je 't waagt nog ooit tegen m'n zuster te spreken, sla ik je alle botten in je lijf kapot;' - althans een dreigement van die strekking. Cathcart was naar beneden gerend. De hertog zag paars van drift. Hij had getuige niet gezien, maar wel enkele woorden gewisseld met Arbuthnot, en was daarna weer zijn eigen slaapkamer binnengestormd. Getuige was zijn kamer uitgesneld en had tegen Arbuthnot gezegd: 'Zeg, Arbuthnot! . . .' Maar Arbuthnot had hem heel onbeschoft de deur voor de neus dichtgegooid. Getuige was vervolgens naar de deur van de hertog gegaan en had gezegd: 'Zeg, Denver . . .' De hertog was uit zijn kamer gekomen, hem voorbijgelopen, zonder hem ook maar te zien en was bovenaan de trap blijven staan. Getuige had hem daar aan Fleming opdracht horen geven de deur van de serre niet op slot te doen omdat Cathcart naar buiten gegaan was. Daarop was de hertog teruggekeerd. Om 11.30 uur om geheel nauwkeurig te zijn, had hij de kamerdeur van de hertog opnieuw open horen gaan en daarna steelse schreden in de gang gehoord. Hij had echter niet uit kunnen maken of de schreden de trap afgedaald waren. Badkamer en toilet lagen aan dat einde van de gang, en hij meende dat hij het ongetwijfeld gehoord zou hebben indien iemand een van die beide vertrekken binnen gegaan was. Ook had hij de schreden niet terug horen komen. Alvorens in slaap te vallen, had hij zijn reisklokje twaalf horen slaan. Nee, wat de deur van de kamer van de hertog betrof, kon hij zich niet vergissen, want die deur piepte op een bijzondere manier.

Mevrouw Pettigrew-Robinson bevestigde de verklaring van haar echtgenoot. Zij kon erop zweren, 's nachts geen schot te hebben gehoord. Haar kamer lag naast die van lady Mary, dus aan de achterkant van het huis en niet aan de kant van de serre. Zij was van kindsbeen af gewend geweest om met open ramen te slapen. In antwoord op een vraag van de coroner verklaarde mevrouw Pettigrew-Robinson dat zij tussen lady Mary Wimsey en de overledene nimmer iets van ware en oprechte genegenheid bespeurd had. Zij vond de wederzijdse verhouding eerder koel. Van onenigheid of misverstand had zij nooit iets gemerkt.

Lydia Cathcart, die haastig uit Londen ontboden was, verschafte alsdan enige nadere bijzonderheden betreffende de vermoorde. Zij was een tante van de overledene en diens enige bloedverwante. Zij had hem zelden of nooit meer gezien, toen hij eenmaal in het bezit was gekomen van het geld dat zijn vader hem had nagelaten. 'Mijn broer en ik hebben nooit erg goed met elkaar kunnen opschieten,' zei juffrouw Cathcart, 'en hij heeft mijn neef tot diens achttiende jaar in het buitenland laten opvoeden. Na de dood van mijn broer is Denis naar Cambridge gegaan, zoals mijn broer gewenst en bepaald had. Tot Denis meerderjarig werd, was ik belast met de uitvoering van het testament en tevens voogdes over hem. Tijdens de vakanties stond mijn huis altijd voor hem open, maar doorgaans gaf hij er de voorkeur aan, bij zijn rijke vrienden te logeren. Maar hun namen herinner ik me niet meer; geen enkele zelfs. Vanaf zijn meerderjarigheid genoot hij een inkomen van tienduizend pond sterling per jaar. Zijn vermogen was in het buitenland belegd. Wat Denis met zijn geld gedaan heeft, weet ik niet. Het zou mij helemaal niet verbazen te horen dat hij vals speelde. Ik heb gehoord dat hij in Parijs met slechte vrienden omging, maar ik heb er nooit één ontmoet.'

De volgende getuige was John Hardraw, de jachtopziener. Hij en zijn vrouw bewonen een huisje vlakbij het hek en binnen de omheining van Riddlesdale Lodge. De gronden, die ongeveer acht tot negen hectare beslaan, zijn op dit punt met een stevige omheining afgezet, en het hek is 's nachts gesloten. Hardraw verklaarde, dat hij woensdagnacht om enkele minuten voor twaalven een schot had gehoord, op korte afstand van zijn woning, naar hij dacht. Achter zijn huisje liggen vier of vijf hectare privé-jachtterrein. Hij nam aan, dat er stropers op pad waren. Met zijn geweer in de hand was hij die richting uitgegaan, maar zag niemand. Volgens zijn horloge was het één uur toen hij huiswaarts keerde.

Coroner: 'Hebt u nog meer schoten gehoord?'

Getuige: 'Nee, alleen dat ene; maar bij thuiskomst viel ik in slaap en werd wakker gemaakt door de chauffeur die de dokter ging halen. 't Zal toen ongeveer kwart over drie geweest zijn.'

Coroner: 'Is 't niet ongebruikelijk, dat stropers zo dichtbij uw woning komen?'

Getuige: 'Ja, nogal. Doorgaans verkiezen ze de andere kant, dichter bij de hei.'

Dr. Thorpe verklaarde, dat men zijn hulp was komen inroepen. Hij woonde in Stapley, ruim twintig kilometer van Riddlesdale. Er was geen dokter in Riddlesdale. De chauffeur was hem om 3.45 uur komen wekken, waarop hij zich haastig aangekleed had en mee was gegaan. Zij bereikten Riddlesdale Lodge om half vijf. Bij onderzoek bleek hem, dat de dood drie of vier uur vroeger moest zijn ingetreden. Een kogel had de longen doorboord, en de dood was veroorzaakt door bloedverlies en verstikking. De dood was echter niet onmiddellijk, maar eerst na enige tijd ingetreden. Lijkschouwing bracht aan het licht, dat de kogel op een rib afgeschampt was. Het medisch onderzoek had echter niet kunnen uitmaken of het zelfmoord dan wel moord was. Beide waren, medisch gesproken, mogelijk. Het lijk vertoonde geen verdere sporen van geweldpleging.

Politieagent Craikes van Stapley was met de dokter meegekomen. Hij had het lijk eveneens geschouwd. Het lag toen ruggelings op de grond, tussen de deur van de serre en een overdekte put vlak naast die deur. Zodra het licht was geworden, had Craikes het huis en de omgeving onderzocht. Op het pad dat naar de serre leidde, had hij een reeks bloedsporen gevonden, alsmede sporen die het vermoeden deden opkomen dat het lijk een eindweegs voortgesleept was. Het bedoelde pad liep uit op het bredere pad, dat van het hek naar de voordeur voerde. (Plattegrond geraadpleegd.) Op het punt waar beide paden samenkwamen, begon struikgewas. De bloedsporen voerden naar een open plek in het struikgewas, ongeveer halverwege tussen het huis en het hek. Op dat punt had de inspecteur een grote bloedplas, een in bloed gedrenkte zakdoek en een revolver gevonden. De zakdoek was gemerkt met de initialen D. C., en het wapen was een klein model van Amerikaanse makelij en droeg geen merk. Bij de komst van de agent had de deur van de serre opengestaan, met de sleutel aan de binnenkant.

Overledene, verklaarde Craikes verder, was gekleed in smoking en lakschoenen, zonder hoed of overjas. Hij was door en door nat. Bovendien zaten zijn kleren niet alleen onder het bloed, maar waren ze tevens ernstig besmeurd en in wanorde geraakt door het versleuren van het lijk. De zakken bevatten een sigarenkoker en een klein plat zakmesje. In de kamer van de overledene was een onderzoek ingesteld naar papieren en dergelijke, maar tot dusverre had dit weinig of niets opgeleverd.

De hertog van Denver werd opnieuw voorgeroepen.

Coroner: 'Ik zou uwe hoogheid willen vragen, of u de overledene nooit in het bezit van een revolver gezien hebt?'

Hertog van D.: 'Niet sedert de oorlog.'

Coroner: 'U hebt er vermoedelijk geen idee van, aan wie dit wapen zou kunnen toebehoren?'

Hertog van D. (in opperste verbazing): 'Maar dat is mijn eigen pistool . . . uit de la van het schrijfbureau in de studeerkamer! Ik heb 't nog onlangs in de la zien liggen toen ik er in aan het rommelen was om voor Cathcart een paar foto's van Mary op te zoeken.'

Coroner: 'Het wapen was doorgaans geladen?'

Hertog van D.: 'Goeie hemel, nee! Ik weet feitelijk niet eens hoe 't daar verzeild geraakt is.'

Coroner: 'Was de lade op slot?'

Hertog van D.: 'Ja, maar de sleutel zat erin.'

Coroner: 'Wist buiten u nog iemand anders dat het wapen zich daar bevond?'

Hertog van D.: 'Fleming wist 't, denk ik. Ik zou niet weten wie nog meer.'

Inspecteur Parker van Scotland Yard, die pas vrijdag aangekomen was, had zodoende nog geen gelegenheid gehad een uitgebreid onderzoek in te stellen. Er waren echter bepaalde aanwijzingen die, meende hij, de conclusie rechtvaardigden dat er, behalve degenen die de moord ontdekt hadden, ook nog één of meer anderen op de plaats van de tragedie aanwezig geweest waren. Hij gaf er evenwel de voorkeur aan zich er momenteel niet verder over uit te laten.

Aan de hand van de afgelegde verklaringen reconstrueerde de coroner vervolgens de gebeurtenissen in chronologische volgorde. Om tien uur, althans kort daarna, was er een twist uitgebroken tussen de overledene en de hertog van Denver, waarna eerstgenoemde het huis verlaten had en niet levend teruggezien was. Uit de verklaring van Pettigrew-Robinson bleek, dat de hertog om 11.30 uur naar beneden gegaan was; en uit die van kolonel Marchbanks bleek, dat de hertog zich onmiddellijk daarna in de studeerkamer bevonden moest hebben, in het vertrek dus, waar het als bewijsstuk overgelegde pistool doorgaans bewaard werd. Daartegenover stond dan de door de hertog zelf onder ede afgelegde verklaring dat hij zijn slaapkamer niet voor half drie 's morgens verlaten had. De jury diende te overwegen welke waarde aan deze tegenstrijdige verklaringen moest worden gehecht. Verder waren daar de in die nacht gehoorde schoten. De jachtopziener had verklaard dat hij om tien minuten voor twaalf een schot gehoord had, maar had daarbij onmiddellijk aan stropers gedacht. Aan de andere kant diende echter voor ogen gehouden te worden dat het getuigenis van lady Mary, dat zij omstreeks drie uur 's nachts een schot gehoord had, zich niet gemakkelijk liet verzoenen met de deskundige verzekering van de medicus dat hij, bij aankomst te Riddlesdale om 4.30 uur 's ochtends, geconstateerd had dat de dood reeds drie of vier uur vroeger moest zijn ingetreden. Ook had dr. Thorpe verklaard dat de verwonding niet onmiddellijk de dood ten gevolge had gehad. Konden gezworenen zich met die conclusie verenigen, dan waren zij dùs genoopt het tijdstip van overlijden te verleggen naar een punt ergens tussen elf uur en middernacht. In dat geval dienden zij echter niettemin nog steeds rekening te houden met het schot dat lady Mary Wimsey gewekt had. Wilden zij dat toeschrijven aan stropers? Dat was niet onmogelijk.

Vervolgens dienden zij al hun aandacht te schenken aan het vinden van het lijk. Om drie uur 's morgens was het door de hertog van Denver bij de deur van de serre gevonden, niet ver van de overdekte put. Gezien de medische verklaring, stond het vrijwel vast, dat het dodelijk schot was afgevuurd in het kreupelhout op ongeveer zeven minuten afstand van het huis. Het lichaam van de dode moest van die plaats naar het huis gesleept zijn. De dood moest ongetwijfeld worden toegeschreven aan het schot in de longen. De gezworenen zouden nu hebben te beslissen of dit schot door eigen dan wel door vreemde hand was afgevuurd; en, in dat laatste geval, tevens of het per ongeluk was afgevuurd, uit zelfverdediging of met de vooropgezette bedoeling om te doden. Wat de mogelijkheid van zelfmoord betrof, dienden zij al hetgeen omtrent karakter en omstandigheden van overledene aan het licht gekomen was voor ogen te houden. Overledene was een jonge man in de kracht van zijn jaren, en klaarblijkelijk tevens zeer welgesteld. Hij kon bogen op een eervolle militaire loopbaan en was onder zijn vrienden zeer populair. De hertog van Denver had een voldoend hoge dunk van hem gehad om toestemming te geven tot de verloving tussen lady Mary Wimsey en overledene. Er was gebleken dat de verloofden het goed met elkaar konden vinden, zij het dat ze dit niet overduidelijk demonstreerden. De hertog bevestigde, dat overledene woensdagavond het voornemen te kennen had gegeven de verloving af te breken. Tevens was daar de beschuldiging die de hertog van Denver tegen overledene ingebracht had. Hij had hem ervan beschuldigd een valse speler te zijn. In de kringen waartoe de bij het onderzoek betrokkenen behoorden, werd iets dergelijks ernstiger opgenomen dan, bijvoorbeeld, moord en overspel. Mogelijk was de minste of geringste verdenking van die aard voldoende om iemand tot zelfmoord te drijven. Maar kon men overledene dergelijke opvattingen toeschrijven? Ongelukkigerwijze was de brief die, naar verluidde, de bewuste aantijgingen nader toelichtte, niet ter terechtzitting overgelegd. Een punt dat eveneens de aandacht van gezworenen verdiende, was de vraag of, in geval van zelfmoord, overledene zich niet eerder voor het hoofd dan in de borst zou hebben geschoten? Tevens verdiende belangstelling de vraag, hoe het wapen in het bezit van overledene was gekomen! En, tenslotte, moest de jury zich afvragen, wie in geval van zelfmoord, het lijk naar het huis gesleept had en waarom de persoon in kwestie aldus gehandeld zou hebben in plaats van naar de woning te snellen en hulp te halen.

Beschouwden zij zelfmoord als uitgesloten, dan bleven over: ongeluk, manslag, of moord. Wat die eerstgenoemde mogelijkheid betrof, indien zij het waarschijnlijk achtten dat overledene, of wie dan ook, en met welke bedoeling dan ook, zich die avond in het bezit had gesteld van het pistool van de hertog van Denver, en dat het wapen bij het bezichtigen of het schoonmaken ervan of hoe dan ook, onvoorziens afgegaan was en overledene per ongeluk getroffen had, dàn diende hun uitspraak te luiden: dood ten gevolge van een ongeluk. Maar hoe verklaarden zij in dat geval het gedrag van degene die het lijk naar de deur van de serre gesleept had?

Vervolgens wijdde de coroner een korte beschouwing aan hetgeen de wet ten opzichte van manslag bepaalt. Helden gezworenen misschien tot de mening over, dat de hertog naar buiten gegaan was om te trachten zijn gast ertoe te bewegen terug te keren en de nacht in zijn woning door te brengen, en dat de overledene daarop met slagen of het maken van dreigende bewegingen gereageerd had? Was dat inderdaad het geval geweest en had de hertog uit zelfverdediging geschoten, dan was het slechts manslag. Maar dàn dienden zij zich af te vragen waarom de hertog zich met een dodelijk wapen in de hand naar buiten begeven had? Een opvatting, overigens, die lijnrecht in tegenspraak was met de eigen woorden van de hertog.

Uiteindelijk was het de taak van gezworenen om na te gaan of er afdoend en overtuigend bewijs voorhanden was om de uitspraak: moord te wettigen. Zij hadden te overwegen of er al dan niet iemand was die zowel een motief, de middelen, als de gelegenheid had gehad overledene te vermoorden. En, indien zij meenden dat er inderdaad een dergelijk iemand was, en dat het gedrag van die persoon op enigerlei wijze verdacht leek, of dat deze opzettelijk mogelijke bewijsstukken vernietigd of achtergehouden had - of vals bewijsmateriaal had overgelegd met het doel de justitie te misleiden . . . dan zou mogelijkerwijze kunnen blijken dat er redenen waren om tegen deze of gene persoon ernstige verdenking te koesteren. En, voegde de coroner eraan toe, zij moesten zelf beslissen of, naar hun mening, degene, die overledene naar de serre gesleurd had, aldus gehandeld had ten einde hulp te halen, of dat deze, integendeel, de bedoeling had gehad het lijk in de put te werpen. Indien de gezworenen ervan overtuigd waren dat er inderdaad een moord gepleegd was, maar de bewijzen niet voldoende achtten voor een directe, individuele beschuldiging, dan waren zij gerechtigd één of meer onbekende personen schuldig te verklaren. Hij verzocht de jury tenslotte, naar eer en geweten, zonder aanzien des persoons haar plicht te doen.

Na kort beraad verklaarde de jury Gerald, hertog van Denver, schuldig aan moord.

hoofdstuk 2

HET GEZELSCHAP dat aan de ontbijttafel van Riddlesdale Lodge geschaard zat, scheen, naar de gezichten te
oordelen, het die bepaalde zondag bijster kwalijk te nemen dat hij als een zondag op de kalender te boek stond.
De enige gast die verlegen noch slecht gehumeurd
scheen, was de Hon. Freddy Arbuthnot, die verdiept
was in zijn poging om met één enkele beweging een
bokking van heel zijn geraamte te ontdoen. De aanwezigheid van zo'n ordinaire vis op de ontbijttafel van de
hertogin bewees, hoezeer het huishouden in de war gelopen was.

De hertogin van Denver was bezig koffie te schenken.
Zij was een vrouw met een lange hals en een lange rug,
die haar kapsel zowel als haar kinderen met straffe hand
regeerde. Verlegen of van haar stuk gebracht was zij
nooit, hetgeen haar toorn, ofschoon zij die niet liet blijken, nog meer kracht bijzette.

Kolonel en mevrouw Marchbanks zaten naast elkaar.
Mevrouw Marchbanks was in tegenwoordigheid van de
hertogin niet op haar gemak omdat ze werkelijk niet
oprecht medelijden met deze kon hebben. Dat bezwaar-
de het gemoed van mevrouw Marchbanks. De kolonel
was nijdig en niet op zijn gemak. Dat laatste omdat je,
met je gastheer, verdacht van moord, achter slot en gren-
del, eenvoudig niet wist waar je 't aan diens ontbijttafel
over hebben moest. Hij was nijdig, omdat het eenvoudig
niet te pas kwam dat dergelijke onaangenaamheden de
genoegens van het jachtseizoen kwamen verstoren.

Mevrouw Pettigrew-Robinson zat te koken van woede. Als meisje had zij het motto van haar school 'In Alles
Eerzaam' tot het hare gemaakt. Zij had het altijd *verkeerd* gevonden om je bezig te houden met dingen die
niet *echt* netjes waren. Zij betreurde het dat zij naar
Riddlesdale gekomen was, tijdens de afwezigheid van
de hertogin. Zij had lady Mary feitelijk nooit gemoogd,
beschouwde haar als een zeer afkeurenswaardig speci-

men van de moderne zelfstandige jonge vrouw; en daar was bovendien dat heel onprettige schandaaltje geweest! Een verhouding met een of andere bolsjewiek of zo, toen lady Mary tijdens de oorlog in Londen als verpleegster werkte. Evenmin had mevrouw Pettigrew-Robinson veel sympathie opgevat voor kapitein Denis Cathcart. Zij hield niet van dergelijke zo opvallend knappe jongemannen.

Pettigrew-Robinson was nijdig en in zijn wiek geschoten omdat de detective van Scotland Yard zijn aanbod om bij het zoeken van voetsporen te helpen, afgewimpeld had.

Al die boosheid en verlegenheid zou echter misschien toch nog draaglijk geweest zijn, indien het gezelschap tenminste de tegenwoordigheid van de detective-zelf aan die ontbijttafel bespaard was gebleven. Maar hij zàt nu eenmaal aan tafel, naast mr. Murbles, de juridische raadsman van de familie. Hij, de detective, was een kalme en rustige, goedgeklede jongeman. Hij was vrijdag uit Londen overgekomen, had de plaatselijke politie op de vingers getikt, en duidelijk laten blijken dàt hij het allesbehalve eens was met de opvattingen van de agent Craikes. Op de terechtzitting had hij inlichtingen achtergehouden die de arrestatie van de hertog misschien hadden kunnen verhinderen. Verder had hij de gasten belet Riddlesdale te verlaten, omdat hij iedereen opnieuw wenste te ondervragen. Maar het ergste was wel geweest dat hij tevens een oude en vertrouwde vriend van lord Peter Wimsey bleek te zijn en men hem dus een bed in de woning van de jachtopziener moest verschaffen en hem aan de hertogelijke tafel moest laten ontbijten.

Mr. Murbles, een vrij bejaard man, was donderdag haastig met de nachttrein uit Londen naar Riddlesdale gespoord. De manier waarop de coroner de zitting geleid had, had hij hoogst onbetamelijk en zijn cliënt hoogst onhandelbaar gevonden. Hij had alle mogelijke moeite gedaan om de beroemde advocaat sir Impey Biggs, K. C., te pakken te krijgen, maar deze was dat weekeind de stad uit en had geen adres achtergelaten. Hij knabbelde aan een stukje geroosterd brood, en vond de detective helemaal niet ongeschikt.

'Is iemand van plan om naar de kerk te gaan?' vroeg de hertogin.

'Theodore en ik zouden eigenlijk wel graag gaan', zei mevrouw Pettigrew-Robinson.

'Jullie kunnen natuurlijk meerijden,' zei de hertogin. 'Ik ga zelf ook.'

'Werkelijk?' vroeg Freddy Arbuthnot. 'Ben je niet bang om aangegaapt te worden?'

'Heus, Freddy,' zei de hertogin, 'doet dat er iets toe?'

'Wat denkt u er van, mr. Murbles?' vroeg de hertogin.

'Ik vind,' zei mr. Murbles, zorgvuldig zijn koffie roerend, 'dat, hoewel uw bedoeling bewondering afdwingt en u zeer zeker tot eer strekt, mr. Arbuthnot niettemin gelijk heeft met te zeggen dat 't weleens ... eh ... ongewenste nieuwsgierigheid en openbare belangstelling mee zou kunnen brengen. Ik ben zelf ... eh ... altijd een plichtsgetrouw christen geweest, maar ik kan niet geloven dat onze godsdienst van ons vergt, dat wij ons onder buitengewoon pijnlijke omstandigheden in het openbaar vertonen.'

Parker hield zich buiten de discussie.

'Helen heeft tenslotte gelijk,' zei mevrouw Marchbanks. 'Wat doet 't ertoe? Er is niets waar we ons voor hoeven te schamen. 't Is allemaal niets anders dan een ongelukkig misverstand, en dus zie ik niet in waarom iemand die dat graag wil niet naar de kerk zou gaan.'

'Natuurlijk niet, natuurlijk niet,' zei de kolonel. 'We zouden er zelf ook even aan kunnen lopen. Een wandeling die kant uit, en weer weg voordat de preek begint.'

'Je vergeet, schat,' zei zijn vrouw, 'dat ik Mary beloofd heb thuis te blijven.'

'Natuurlijk, natuurlijk ... stom van me,' zei de kolonel. 'Hoe maakt ze 't?'

'Ze was vannacht erg rusteloos,' zei de hertogin. 'Ik heb echt medelijden met haar. 't Is een hele slag voor haar geweest.'

'Daar geloof ik niet veel van,' zei mevrouw Pettigrew-Robinson.

'O hemel, hoe durf je!' zei haar echtgenoot.

'Ik vraag me af wanneer we eindelijk iets van sir Impey zullen horen,' zei kolonel Marchbanks haastig.

'Inderdaad . . .' grommelde mr. Murbles. 'Ik vertrouw op de invloed die hij op de hertog heeft.'

'Hij moet eindelijk,' zei mevrouw Pettigrew-Robinson, 'eens met de juiste toedracht voor de dag komen . . . Hij moet zeggen waarom hij op dat uur buitenshuis was. En, als hij het niet zèggen wil, dan moet het ontdèkt worden. Daar hebben we die detectives toch immers voor.'

'Zulks is inderdaad hun ondankbare taak,' zei Parker plotseling. Hij had een hele tijd niets gezegd en allen schrokken nu.

'Ik twijfel er niet aan, meneer Parker,' zei mevrouw Marchbanks, 'of u zult 't allemaal spoedig genoeg ophelderen. Misschien weet u allang wie de eigenlijke moor . . . eh . . . schuldige is.'

'Niet helemaal,' zei Parker, 'maar ik zal m'n best doen. Bovendien is er grote kans dat ik assistentie krijg.'

'Van wie?' vroeg Pettigrew-Robinson.

'De schoonbroer van hare hoogheid.'

'Ik heb naar Ajaccio getelegrafeerd . . . poste restante,' zei mr. Murbles, 'maar ik weet niet of dat telegram hem bereiken zal. Hij heeft niet gezegd wanneer hij van plan was naar Engeland terug te komen.'

'Hij is 'n rare snaak,' zei Freddy, niet bepaald tactvol, 'maar hij zou feitelijk hier moeten zijn, wat? Ik bedoel maar, als Denver iets overkomt, dan is Peter 't hoofd van de familie, nietwaar? Tenminste, tot aan de meerderjarigheid van 't Ingelegde Augurkje.'

Dodelijke stilte volgde op het noemen van die bijnaam van de oudste zoon en erfgenaam, en in die ontstellende stilte klonk het geluid van een wandelstok die in een staander wordt gezet.

De deur zwierde open.

'Goede morgen, lui,' zei de onverwachte bezoeker opgewekt. 'Hoe maken jullie 't allemaal? Hallo, Helen? Kolonel, je bent me nog steeds die weddenschap van verleden jaar september schuldig. Morgen, mevrouw Marchbanks. Goede morgen, mevrouw Pettigrew. Wel, mr. Murbles, wat denk je van dit beestachtige weer? Blijf zitten, Freddy, blijf zitten. Hallo, Parker, wat een betrouwbare ouwe schurk ben je feitelijk! Jullie hebben allemaal al ontbeten? Ik had vroeger op willen staan, maar ik lag te snurken en zodoende kon Bunter 't niet over z'n hart verkrijgen mij wakker te maken. Ik was bijna gisteravond nog gekomen, maar we kwamen pas om twee uur vannacht aan. Per vliegtuig van Parijs naar Londen - en per trein naar Northallerton, en verder beroerd slechte wegen, en vlak voor Riddlesdale een lekke band op de koop toe. Een verd ... slecht bed in de dorpsherberg. Ik hoopte hier 't laatste saucijsje nog te halen, als 't me meeliep. Wel, Helen, onze dierbare Gerald hèèft zich er dit keer lelijk ingedraaid. Feitelijk zou jij hem geen moment uit 't oog moeten verliezen, weet je, want amper laat je hem los of hij loopt in honderd sloten tegelijk. Wat zit jij daar te smullen Parker? Kerrie, zie ik! Bedien me, wil je. Freddy, geef de toast eens aan, wil je? Wat zei u, mevrouw Marchbanks? O, nogal, ja. Corsica was eenvoudig adembenemend ... allemaal kerels met koolzwarte ogen, en met messen tussen hun gordel. En een mooie vrouwen! Wat ik zeggen wou, Helen, ik had je een paar stelletjes werkelijk eersteklas zijden ondergoed, crêpe-de-Chine of hoe noemen jullie dat uit Parijs mee willen brengen, maar ik zag dat Parker hier me 't ene bebloede voetspoor na 't andere voor de neus wegkaapte, en dus hebben we haastig onze koffers gepakt, en weg!'

Mevrouw Pettigrew-Robinson rees op.

'Theodore,' sprak zij, 'ik geloof dat 't zoetjes aan tijd wordt voor de kerk.'

'Ik zal meteen de auto voor laten komen,' zei de hertogin. 'Peter, ik ben natuurlijk heel erg blij je te zien. 't Was jammer dat je geen adres achter had gelaten. Als je iets nodig hebt, bel je wel. Jammer dat je niet op tijd hier hebt kunnen zijn om Gerald nog even te spreken.'

'O, dat mag niet hinderen,' zei lord Peter opgewekt. 'Ik zal hem wel even in de nor opzoeken. Geef me het brood en de marmelade even en vertel me alles.'

Het vertrek van de kerkgangers had een menselijker atmosfeer teweeggebracht. Mevrouw Marchbanks stommelde de trap op, om Mary te vertellen dat Peter was gekomen. De kolonel stak een grote sigaar op. De honourable Freddy stond op, rekte zich uit, trok een leren armstoel bij het vuur en ging met zijn voeten op het koperen hekje zitten, terwijl Parker om de tafel liep en zich nog een kop koffie inschonk.

'Je zult de kranten wel gezien hebben, hè?' zei hij.

'O ja, ik heb het verslag van de zitting doorgelezen,' zei lord Peter. 'Neem me niet kwalijk dat ik het zeg, maar jullie hebben er nogal een rommeltje van gemaakt.'

'Het was schandalig,' zei Murbles, 'het was schandalig. De coroner heeft zich hoogst ongepast gedragen. Het lag helemaal niet op zijn weg om zo'n opsomming te geven. Wat kon je verwachten van een jury van boerenpummels? En dan al die bijzonderheden, die aan de dag kwamen! Als ik hier eerder had kunnen zijn -'

'Ik vrees dat dat gedeeltelijk mijn schuld was, Wimsey,' zei Parker berouwvol. 'Craikes heeft nogal een hekel aan me. De commissaris van politie in Stapley heeft ons zonder zijn voorkennis laten halen. En toen de boodschap kwam, ben ik naar de chef gegaan en heb om deze zaak gevraagd, omdat ik dacht, dat, als er misverstanden of moeilijkheden zouden komen, jij liever zou hebben dat ik me ermee bezighield dan iemand anders. Ik moest een en ander regelen in verband met die kwestie van valsheid in geschrifte, waar ik mee bezig was, en al met al kon ik pas met de nachttrein weg. Toen ik hier vrijdag aankwam, waren Craikes en de coroner al dikke maatjes.'

'Trek het je niet aan,' zei Wimsey, 'ik geef jou de schuld niet. Bovendien maakt het de jacht des te opwindender.'

'Het feit ligt er nu eenmaal,' zei de honourable Freddy, 'dat we niet erg gezien zijn bij fatsoenlijke coroners. Zeg, Peter, het spijt me dat je juffrouw Lydia Cathcart bent misgelopen. Ze is terug naar Golders Green en heeft het lijk meegenomen.'

'Nou ja,' zei Wimsey, 'ik vermoed niet dat er iets geheimzinnigs aan dat lichaam was.'

'Nee,' zei Parker, 'voor zover het medisch onderzoek iets te betekenen had, was het in orde. Hij is door zijn longen geschoten.'

'Maar bedenk wel,' zei de honourable Freddy, 'dat hij

zichzelf in ieder geval niet heeft doodgeschoten.'

'Hoe weet je dat?' zei Peter.

'Maar, beste jongen, Cathcart en ik zijn samen naar boven gegaan. Ik had nogal de smoor in, omdat ik een heleboel op effecten had verloren en bovendien 's morgens bij de jacht alles gemist had. Dan had ik een weddenschap met de kolonel verloren over het aantal tenen van de huiskat en ik zei tegen Cathcart dat het een rotwereld was of zoiets. "Helemaal niet," zei hij, "'t is een verdomd plezierige wereld. Ik zal Mary morgen vragen de huwelijksdatum vast te stellen en dan gaan we in Parijs wonen, waar ze weten wat liefde is."'

Parker keek ernstig. Kolonel Marchbanks schraapte zijn keel.

'Tja, ja,' zei hij, 'op een man als Cathcart kon je geen staat maken. 't Is jammer, arme duvel. Enfin, Peter, ik hoop dat jij en meneer Parker iets zullen ontdekken. We kunnen die goeie Denver toch niet in de doos laten zitten. Wat zou je zeggen van een partijtje biljart, Freddy?'

'Goed,' zei de honourable Freddy.

Toen Murbles zich had teruggetrokken, keken Wimsey en Parker elkaar aan.

'Peter,' zei de detective, 'ik weet niet of ik er goed aan gedaan heb, te komen. Als jij denkt -'

'Hoor eens, ouwe jongen,' zei zijn vriend ernstig, 'laten we die gevoeligheden nou maar opzij zetten. We gaan deze zaak net als iedere andere aanpakken. Als er iets onplezierigs aan het licht komt, heb ik liever dat jij het ziet dan iemand anders.'

'Waar wil je beginnen?' vroeg Parker.

Peter dacht even na. 'Ik geloof dat we moeten beginnen met Cathcarts slaapkamer,' zei hij.

De slaapkamer was van bescheiden afmetingen, met één raam boven de voordeur. Het bed stond rechts, de toilettafel voor het raam. Links was de schoorsteen met een leunstoel ervoor en een kleine schrijftafel.

'Alles is nog net als tevoren,' zei Parker. 'Zo verstandig is Craikes tenminste geweest.'

'Ja,' zei lord Peter. 'Eens kijken. Gerald zegt dat toen hij Cathcart voor een schurk uitmaakte, Cathcart opsprong en de tafel bijna omgooide. Daar staat de schrijftafel. Dus Cathcart zat in de leunstoel. Wat voerde hij hier uit? Hij las niet, want er is nergens een boek en we weten dat hij de kamer uitgerend is en niet meer teruggekomen. Was hij aan het schrijven? Nee; een onbesmet vel vloeipapier.'

'Hij kan met potlood hebben geschreven,' opperde Parker.

'Dat is juist. Als het zo is, heeft hij het papier in zijn zak gestoken, want het is niet hier. Maar dat heeft hij niet gedaan, want het is niet op hem gevonden. Dus was hij niet aan 't schrijven.'

'Tenzij hij het papier ergens anders weggegooid heeft,' zei Parker. 'Ik heb nog niet het hele terrein geïnspecteerd. Als we dus het schot dat Hardraw om tien voor twaalf gehoord heeft, als *het* schot beschouwen, moeten we er rekening mee houden, dat er een tijdsverloop van minstens anderhalf uur is, waarover we niets weten.'

'Heel goed. Laten we zeggen dat niets erop wijst dat hij aan 't schrijven was.'

Lord Peter nam een loep uit zijn zak en bekeek de oppervlakte van de leunstoel nauwkeurig, voor hij er in ging zitten.

'Hier hebben we geen enkele aanwijzing,' zei hij. 'Cathcart zat waar ik nu zit. Hij was niet aan het schrijven; hij - ben je er zeker van dat er niets in deze kamer veranderd is?'

'Absoluut zeker.'

'Dan rookte hij ook niet.'

'Waarom niet? Hij had zijn sigare- of sigarettepeukje in het vuur kunnen gooien, toen Denver binnenkwam.'

'Geen sigaret,' zei Peter, 'want dan hadden we ergens sporen gevonden - op de vloer of op de haardrooster. Die lichte as stuift zo. Maar een sigaar. Ja, ik geloof wel dat hij een sigaar gerookt kan hebben zonder een spoor nagelaten te hebben, maar ik hoop dat hij het niet heeft gedaan. Ik heb liever dat Geralds lezing een element van waarheid bevat. Een zenuwachtige man gaat niet op zijn gemak een sigaartje zitten roken voor hij naar bed gaat. Anderzijds, als Freddy gelijk heeft en Cath-

34

cart zich zo monter en levenslustig voelde, dan zou hij juist zoiets doen.'

'Zou je echt denken, dat Arbuthnot dat allemaal heeft verzonnen?' zei Parker nadenkend. 'Die indruk heb ik niet gekregen.'

'Ik ken Freddy al m'n hele leven en hij doet geen vlieg kwaad. Bovendien heeft hij het verstand niet om een verhaal te verzinnen. Maar wat me het meest dwars zit, is dat Gerald heel zeker ook het benul niet heeft om zo'n melodrama als met Cathcart uit zijn duim te zuigen.'

'Maar,' zei Parker, 'als we een ogenblik aannemen dat hij Cathcart heeft doodgeschoten, had hij een reden om het te verzinnen. Als er iets belangrijks op het spel staat, wordt de vindingrijkheid vaak merkwaardig gescherpt. De ongerijmdheid van het verhaal verraadt een onervaren leugenaar.'

'Cathcart zat dáár -'

'Dat zegt je broer tenminste.'

'*Ik* zeg het. In ieder geval zat er iemand. Je ziet de indruk van zijn zitvlak nog op het kussen.'

'Dat kan eerder op de dag zijn geweest.'

'Onzin. Ze zijn de hele dag uit geweest. En - hé . . .'

Hij boog zich voorover en keek in de haard.

'Er zit verbrand papier in, Charles.'

'Dat weet ik. Dat heeft me gisteren ook al getroffen, maar ik ontdekte dat dat in verschillende andere kamers ook het geval was. Ze laten de open vuren in de slaapkamers meestal uitgaan, als iedereen de hele dag weg is en steken ze dan een uur voor het avondeten weer aan. Alleen het keukenmeisje, het tweede meisje en Fleming zijn hier en ze hebben een boel te doen met zo'n groot gezelschap.'

Lord Peter scharrelde in de verkoolde snippers.

'Ik kan niets vinden om je tegen te spreken,' zei hij bedroefd, 'en dit stukje van de Morning Post bevestigt je opvatting juist.' Hij stond op en liep naar de toilettafel.

'Ik houd van die schildpadden stellen,' zei hij. 'Het parfum is *Baiser du soir* - ook voortreffelijk. Ik houd ervan om schoon en in de puntjes te zijn, maar Cathcart was een man, die je altijd de indruk gaf dat hij een klein beetje *te* goed verzorgd was. Ik heb hem maar een of twee maal ontmoet. Het verbaasde me nogal dat Mary op hem gesteld was, maar ik weet eigenlijk erg weinig van Mary. Ze is vijf jaar jonger dan ik. Toen de oorlog uitbrak, kwam ze net van school en zat ergens in Parijs. Ik ging in dienst en zij kwam terug om verpleegsterswerk en maatschappelijk werk te doen, dus zag ik haar maar af en toe. Wat is er met de papieren van de man gebeurd?'

'Hij heeft hier heel weinig achtergelaten,' antwoordde Parker. 'Er is een chequeboek van het bijkantoor Charing Cross van Cox, maar dat is nieuw en daar hebben we niet veel aan. Blijkbaar hield hij maar een kleine rekening bij hen aan, wat gemakkelijk voor hem was, wanneer hij in Engeland kwam. De cheques zijn voor het grootste deel aan zijn eigen order. Af en toe is er een bij voor een hotel of een kleermaker.'

'Geen rekening-courant-boekje?'

'Ik geloof dat al zijn belangrijke papieren in Parijs zijn. Hij heeft daar in de buurt van de rivier een woning. We staan in contact met de Parijse politie. Hij had een kamer in het Albany Hotel. Ik heb gezegd dat ze die moeten afsluiten, tot ik kom. Ik denk erover om morgen naar de stad te gaan.'

'Ja, dat is een goed idee. Is er ook een portefeuille?'

'Ja, hier heb je hem. Er zit ongeveer dertig pond in, in verschillende biljetten. Dan een kaartje van een wijnhandelaar en een rekening voor een rijbroek.'

'Geen brieven?'

'Geen letter.'

'Ja,' zei Wimsey, 'ik denk dat hij van het soort was dat geen brieven bewaart. Hij had een veel te goed instinct van zelfbehoud.'

'Ja. Ik heb het personeel naar zijn brieven gevraagd, dat spreekt vanzelf. Ze zeiden dat hij er vrij veel ontving, maar ze nooit liet slingeren. Ze konden me niet veel vertellen over de mensen, aan wie hij schreef. Men had algemeen de indruk dat hij niet veel schreef. Het tweede meisje zei dat ze nooit iets bijzonders in de prullenmand had gevonden.'

'Nou, daar hebben we erg veel aan. Wacht eens even. Hier is zijn vulpen. Helemaal leeg. Ik weet eigenlijk niet of je daar iets uit kunt opmaken. Tussen haakjes: ik zie nergens een potlood.'

Lord Peter verwijderde zich van de toilettafel, bekeek de inhoud van de klerenkast en bladerde in de paar boeken, die op het tafeltje naast het bed lagen.

'*La Rôtisserie de la Reine Pédouque, L'Anneau d'Améthyste, South Wind, Chronique d'un Cadet de Coutras* (tut-tut, Charles!), *Manon Lescaut.* Is er nog iets anders in deze kamer, waar ik naar moet kijken?'

'Ik geloof het niet. Waar wil je nu naar toe?'

'We zullen ze naar beneden achterna gaan. Wacht eventjes. Wie zijn er in de andere kamers? O ja. Hier heb je de kamer van Gerald. Helen is naar de kerk. Daar gaan we naar binnen. Natuurlijk is er hier gestoft en schoongemaakt, zodat de zaak voor het onderzoek grotendeels is bedorven.

Hier is het raam, waaruit Gerald geroepen heeft. Hm. Niets in de haard hier, natuurlijk - er is inmiddels vuur gemaakt. Ik vraag me af waar Gerald die brief van - Freeborn, geloof ik, gestopt heeft.'

'Niemand heeft een woord daarover uit hem los kunnen krijgen,' zei Parker. 'Was hij een van die Romeinse broeders, die eenvoudig zeggen: Als hoofd van de familie verbied ik de ondertrouw en daarmee uit?'

'Gerald,' zei Wimsey, 'is een goede, zuivere, rechtschapen, welopgevoede jongen en een ontstellende ezel. Maar ik geloof niet dat hij zó middeleeuws is.'

'Geloof je niet,' opperde Parker voorzichtig, 'dat die mijnheer Freeborn in zijn brief heeft gezinspeeld op de een of andere oude - eh - moeilijkheid, waar je broer de hertogin buiten wilde houden?'

Lord Peter bleef staan en keek verstrooid naar een rij laarzen.

'Dat is een idee,' zei hij. 'Er zijn van die gevalletjes geweest - goedaardige, maar Helen zou ze erg hebben opgeblazen.'

Hij floot nadenkend. 'Maar toch, als de galg eraan te pas komt -'

'Denk jij, Wimsey, dat je broer werkelijk rekening houdt met de galg?' vroeg Parker.

'Ik denk dat Murbles hem dat aardig duidelijk heeft

gemaakt,' zei lord Peter. 'We zullen Gerald bepraten dat hij de zaak ernstig neemt. Welke van deze laarzen heeft hij woensdagavond gedragen?'

'Deze,' zei Parker, 'maar die idioot heeft ze schoongemaakt.'

'Hij heeft ook beenkappen gedragen,' zei Parker, 'deze.'

'Tamelijk uitvoerige toebereidselen voor een wandeling in de tuin. Maar, zoals je juist wou zeggen, het was een vochtige nacht. Ik moet Helen vragen of Gerald ooit aan slapeloosheid heeft geleden.'

'Dat heb ik gedaan. Ze geloofde dat het geen regel was, maar af en toe had hij kiespijn en dan werd hij rusteloos.'

'Maar daarvoor gaat iemand in een koude nacht niet de deur uit. Goed, laten we naar beneden gaan.'

Door de biljartkamer, waar de kolonel een sensationele serie aan het opbouwen was, kwamen ze in de serre.

Met de loep voor zijn oog kroop lord Peter voorzichtig over de vloer.

'Ze zijn waarschijnlijk allemaal van deze kant gekomen,' zei hij.

'Ja,' zei Parker, 'de meeste voetafdrukken heb ik thuis kunnen brengen. Iedereen liep in en uit. Hier zijn die van de hertog, die gaan van buiten naar binnen. Hier struikelt hij over het lichaam.' (Parker had de buitendeur geopend en een paar matten opgelicht om een vertrapte plek grind te laten zien, die met bloed bevlekt was.) 'Hij knielt bij het lichaam, hier heb je zijn knieën en tenen. Daarna gaat hij het huis binnen door de serre en laat vlak achter de deur een flinke afdruk in modder en grind achter.'

Lord Peter hurkte voorzichtig bij de voetstappen.

'Wat een geluk dat het grind hier zo zacht is,' zei hij.

'Ja, net dit gedeelte. De tuinman heeft me verteld dat het hier erg ingelopen en modderig wordt, doordat hij hier bij de watertrog zijn gieters komt vullen. De trog wordt vanuit de put geregeld bijgevuld en dan sjouwen ze het water in gieters weg.'

'Jammer dat ze niet het hele pad gedaan hebben, toen ze toch bezig waren,' bromde lord Peter. 'Goed, daarmee hebben we Gerald dus gehad. Hier heeft een olifant over de grasrand gelopen. Wie kan dat zijn?'

'O, dat is van een agent. En die verstelde rubberzool is van Craikes. Die trippelpasjes zijn van de pantoffels van Arbuthnot en de overschoenen zijn van Pettigrew-Robinson. Die kunnen we allemaal buiten beschouwing laten. Maar nu hier. Vlak over de drempel staat een vrouwenvoet in een stevige schoen. Ik houd het ervoor, dat die van lady Mary is. Hier heb je hem weer, vlakbij de rand van de put. Zij is naar buiten gekomen om naar het lichaam te kijken.'

'Inderdaad,' zei Peter, 'en daarna is ze weer binnengekomen met een paar korrels rood grind aan haar schoenen. Ja, zo is het. Hé!'

Aan de buitenkant van de serre waren een paar planken voor kleine planten aangebracht, en daaronder was een vochtig en nogal triest bloembed, waarin cactussen stonden, met hier en daar wat fijne varens er tussen, het geheel omgeven door een rij grote chrysanten in potten.

'Wat heb je?' vroeg Parker, toen hij zijn vriend naar dit groene perk zag staren.

Lord Peter trok zijn lange neus uit de planten terug en zei: 'Wat is dat nou?'

Parker snelde er naar toe. Daar, tussen de cactussen, stond inderdaad de duidelijke afdruk van een langwerpig voorwerp met hoeken.

'Het is maar goed dat Geralds tuinman niet zo'n conscientieuze vent is, dat hij niet eens een cactus in de winter met rust kan laten. Neem jij de maat maar.'

Parker mat.

'Zesenzeventig bij vijftien centimeter,' zei hij. 'En behoorlijk zwaar, want het is diep ingedrukt en heeft de planten er omheen gebroken.'

'Ik denk dat het iets omvangrijks was, dat op zijn kant was gezet en tegen het glas geplaatst. Als je mijn mening vraagt, zou ik zeggen dat het een koffer was.'

'Een koffer!' riep Parker uit. 'Waarom een koffer?'

'Inderdaad, waarom? Ik geloof dat we mogen aannemen dat hij hier niet heel lang heeft gestaan. Overdag zou hij bijzonder in 't oog lopend zijn geweest. Maar iemand kan hem hier best tussen hebben geschoven, als hij ermee werd betrapt - zeg om drie uur in de morgen - en niet wilde dat het ding werd gezien?'

'Wanneer hebben ze hem dan weggenomen?'

'Voor het aanbreken van de dag, anders had zelfs Craikes hem moeilijk over 't hoofd kunnen zien.'

'Het is toch niet de dokterstas?'

'Nee - tenzij de dokter een idioot is. Waarom zou je een tas zo ongemakkelijk op een vochtige, smerige plek uit de buurt zetten? Nee. Tenzij Craikes of de tuinman dingen hebben laten slingeren, is het daar woensdagnacht weggestopt, door Gerald, door Cathcart - of, naar ik vermoed, door Mary. Van niemand anders kun je verwachten dat hij iets te verbergen had.'

'Jawel,' zei Parker, 'van één mens nog.'

'Wie?'

'De onbekende.'

'Wie is dat?'

Als antwoord stapte Parker trots naar een rij houten ramen, die zorgvuldig met matwerk waren bedekt. Toen hij dit wegtrok, onthulde hij een v-vormige reeks voetafdrukken.

'Deze,' zei Parker. 'Die behoren aan niemand, althans niemand die ik hier gezien of gehoord heb.'

'Hoera!' zei Peter. 'Nou, laat eens zien. Deze voetafdrukken - van herenschoenen maat 10 met scheefgelopen hakken en een lap aan de linkerbinnenkant - komen van het verharde deel van het pad, waarop geen voetindrukken zijn achtergebleven; ze lopen naar het lichaam - hier, waar die bloedplas ligt. Zeg, vind jij dat ook niet vreemd? Nee? Misschien niet. Zijn er geen voetafdrukken onder het lichaam? Dat valt niet te zeggen, het is zo'n kliederboel. Dus de onbekende komt tot hier - daar is een diep voetspoor. Stond hij op het punt Cathcart in de put te gooien? Hij hoort een geluid; hij schrikt; hij draait zich om; hij rent op zijn tenen - het bosje in, allemachtig!'

'Ja,' zei Parker, 'en de sporen komen uit op een van de graspaden in het bos en daar houden ze op.'

'Hm! Nou ja, die zullen we later volgen. Maar waar kwamen ze vandaan?'

De twee vrienden liepen samen het pad op, dat van het huis af voerde. Het grind was, behalve op het kleine plekje voor de serre, oud en hard en vertoonde slechts weinig sporen, vooral ook omdat het de laatste dagen nogal regenachtig was geweest. Parker kon Wimsey echter verzekeren dat er duidelijke sporen van een voortgesleept lichaam en bloedvlekken waren geweest.

'Wat voor bloedvlekken? Vegen?'

'Ja, merendeels vegen. En hier heb je iets vreemds.'

Het was de duidelijke afdruk van de palm van een mannenhand, die diep in een bloembed stond gedrukt, met de vingers naar het huis gericht. Er waren twee lange voren in het kiezel van het pad getrokken. Op de grasrand tussen het pad en het bloembed lag bloed en de rand van het gras was afgebrokkeld en vertrapt.

'Hier heeft hij een duidelijke poging gedaan om zich vast te klemmen. Dat verklaart het bloed bij de serre-deur. Maar wat voor duivel zeult met een lichaam, dat nog niet helemaal dood is?'

Een paar meter verder kwam het pad op de oprijlaan uit. Deze werd omzoomd door bomen, waarachter struikgewas stond. Op het punt waar de beide wegen elkaar ontmoetten, stonden nog een paar onduidelijke voetafdrukken, en nog ongeveer twintig meter verder liepen ze zijwaarts het struikgewas in. Een tijd geleden was er een grote boom gevallen, die een kleine open plek had gemaakt; in het midden daarvan lag een dekzeil zorgvuldig uitgespreid en vastgepind.

'De plaats van het onheil,' zei Parker kortaf, terwijl hij het dekzeil terugsloeg.

Het kronkelende lichaam van de gevallen man had de dorre bladeren omgewoeld en een afdruk op de doorweekte grond nagelaten. Op één plaats, waar een grote plas bloed ingetrokken was, was de aarde donkerder.

'Daar hebben ze de zakdoek en de revolver gevonden. Ik heb naar vingerafdrukken gezocht, maar de regen en de modder hadden alles bedorven,' zei Parker.

Wimsey nam zijn loep, ging liggen en kroop langzaam op zijn buik de hele plek rond.

'Hij heeft een poosje op en neer gelopen,' zei lord Peter. 'Hij rookte niet. Hij was over iets aan 't piekeren of hij wachtte op iemand. Wat is dat? Aha! Hier is onze maat 10 weer, die tussen de bomen verderop hier naar toe komt. Geen sporen van een worsteling. Dat is vreemd! Cathcart is van dichtbij neergeschoten, hè?'

'Ja; zijn overhemd is van voren geschroeid.'

'Juist. Waarom bleef hij stilstaan, toen er op hem werd geschoten?'

'Ik dacht,' zei Parker, 'dat als hij een afspraak had met maat 10, dat iemand geweest moet zijn die hij kende; iemand die dichtbij hem kon komen zonder argwaan te wekken.'

'Dan was het dus een vriendschappelijk onderhoud - tenminste van de kant van Cathcart. Maar de revolver is een moeilijk punt. Hoe kreeg maat 10 Geralds revolver te pakken?'

'De deur van de serre was niet op slot,' zei Parker aarzelend.

'Dat wist niemand behalve Gerald en Fleming,' antwoordde lord Peter. 'En je wil me toch niet vertellen dat maat 10 hier naar binnen wandelde, naar het studeervertrek ging, de revolver kaapte, terugkwam en toen Cathcart ging neerschieten?'

'Het lijkt me waarschijnlijker dat Cathcart de revolver heeft meegebracht,' zei Parker.

'Maar waarom zijn er dan geen sporen van een worsteling?'

'Misschien heeft Cathcart zichzelf doodgeschoten,' zei Parker.

'Maar waarom zou maat 10 hem dan naar zo'n opvallende plek sleuren en daarna wegrennen?'

'Wacht even,' zei Parker, 'wat zeg je hiervan? Maat 10 heeft een afspraak met Cathcart - laten we zeggen om hem te chanteren. Op een of andere manier stelt hij hem tussen kwart voor tien en kwart over tien van zijn voornemen in kennis. Dat zou de verklaring leveren voor de verandering in Cathcarts manier van doen en bevestigen dat zowel Arbuthnot als de hertog de waarheid gesproken heeft. Na de ruzie met je broer rent Cathcart woedend naar buiten. Hij komt hier voor die afspraak. Hij loopt heen en weer, terwijl hij op maat 10 wacht. Maat 10 komt en onderhandelt met Cathcart. Cathcart biedt hem geld aan. Maat 10 vraagt meer. Cathcart zegt dat hij het werkelijk niet heeft. Maat 10 zegt dat hij hem dan aan de kaak zal stellen. Cathcart antwoordt: 'In dat geval kan je naar de hel lopen, daar ga ik zelf ook heen' en schiet op zichzelf. Maat 10 krijgt berouw. Hij ziet dat Cathcart niet helemaal dood is. Hij neemt hem op en sleurt en draagt hem half naar het huis. Hij is kleiner dan Cathcart en niet erg sterk, en het valt hem niet mee. Ze zijn juist bij de serredeur aangekomen, als Cathcart een laatste bloedspuwing krijgt en de geest geeft. Maat 10 beseft plotseling dat zijn aanwezigheid op andermans terrein, om drie uur 's nachts en alleen met een lijk, enige verklaring vereist. Hij laat Cathcart vallen en gaat er vandoor. De hertog van Denver verschijnt ten tonele en valt over het lichaam. Tableau.'

'Dat is niet slecht,' zei lord Peter. 'Maar wanneer denk je dat het gebeurd is? Gerald heeft het lichaam om drie uur gevonden. De dokter was hier om half vijf en zei dat Cathcart al enige uren dood was. Maar hoe zit het met het schot dat mijn zuster om drie uur heeft gehoord?'

'Ik wil ervan uitgaan dat het schot om drie uur van stropers kwam.

'Natuurlijk, stropers,' zei lord Peter. 'Ik geloof dat dat klopt, Parker. Laten we voorlopig die verklaring aanhouden. Het eerste wat we nu moeten doen is maat 10 vinden. Ik zou wel eens willen weten waarom Cathcart door maat 10 gechanteerd werd. Wie heeft er een koffer in de serre verborgen? En wat deed Gerald in de tuin, om drie uur 's nachts?'

'Als we nou eens begonnen,' zei Parker, 'met na te gaan waar maat 10 vandaan kwam.'

'Hoho!' riep Wimsey, toen ze naar het spoor terugkeerden, 'hier is iets! Hier ligt een echte schat, Parker!'

Hij raapte uit de modder en de dorre bladeren een klein glinsterend voorwerp op, dat wit en groen tussen zijn vingertoppen flitste.

Het was een kleine talisman, zoals vrouwen aan een armband dragen - een miniatuur diamanten katje met ogen van stralend smaragd.

hoofdstuk 3

'TOT DUSVER,' zei lord Peter, terwijl zij door het bosje hun moeilijke weg zochten op het spoor van herenschoenen maat 10, 'heb ik altijd volgehouden, dat die vriendelijke misdadigers die hun sporen bezaaiden met persoonlijke versierselen een uitvinding waren van het detectivebrein ten gerieve van de schrijver. Ik zie dat ik nog iets over mijn vak te leren heb.'

'Nu ja, je doet het nog niet zo heel lang, nietwaar?' zei Parker. 'Bovendien weten wij niet of de diamanten kat van de misdadiger is. Deze gebroken tak kan onze vriend zijn - dat geloof ik inderdaad.'

'Ik zal het de familie vragen,' zei lord Peter, 'en we zouden in het dorp kunnen nagaan of iemand ooit naar een verloren kat geïnformeerd heeft. Het zijn kostbare stenen. Dat soort dingen verliest iemand niet zonder er drukte over te maken - ik ben hem helemaal kwijt.'

'Kalm aan - ik heb hem.'

'Hier zijn we bij de omheining van het park.'

'En hier is hij eroverheen gegaan,' zei lord Peter, terwijl hij naar een plek wees, waar de *chevaux de frise* aan het boveneinde was weggebroken. 'Hier is de indruk waar zijn hakken zijn neergekomen en hier is hij voorover gevallen op handen en knieën. Maat 10 heeft zijn jas toch aan de punten gescheurd; hij heeft een stukje regenjas achtergelaten. Wat een geluk! Hier aan de andere kant loopt een diepe greppel, waar water in staat en waar ik me nu in zal laten vallen.'

Een glibberige plons bewees dat hij zijn voornemen ten uitvoer had gebracht.

Parker zag dat zij maar een meter of honderd van de poort waren, snelde erheen en werd plechtig uitgelaten door Hardraw, de jachtopziener, die toevallig net uit het jachthuis kwam.

'O ja,' zei Parker tegen hem, 'hebt u misschien toch nog sporen gevonden van stropers die hier woensdagnacht zijn geweest?'

'Nee,' zei de man, 'zelfs geen dood konijn.'

'Weet u ook hoe lang daarginds de punten al van het hek af zijn?'

'Een maand of twee, denk ik.'

'De poort is 's nachts afgesloten, nietwaar?'

'Ja.'

'Wie binnen wil komen, moet u wakker maken?'

'Ja zeker.'

'Hebt u verleden woensdag geen enkel verdacht type buiten dit hek zien rondzwerven?'

'Nee, meneer, maar mijn vrouw misschien. Hé, wijf!'

Mevrouw Hardraw, aldus ontboden, verscheen in de deur.

'Woensdag?' zei ze. 'Nee, ik heb geen zwervende kerels gezien. Woensdag. Zeg, John, dat was toch niet de dag dat die jonge vent met z'n motorfiets er is geweest?'

'Jonge vent met 'n motorfiets?'

'Ik geloof van wel. Hij zei dat hij een lekke band had en vroeg om een emmer water.'

'Heeft hij niets anders gevraagd?'

'Hij vroeg wat de naam van het landgoed was en wie de eigenaar van het huis was.'

'Hebt u hem verteld dat de hertog van Denver hier woonde?'

'Ja, meneer.'

'Zei hij waar hij naar toe ging?'

'Hij zei dat hij van Weirdale kwam en een tocht naar Cumberland maakte.'

'Hoe lang is hij hier geweest?'

'Zowat een half uur. En toen probeerde hij zijn motor te starten en ik zag hem wegtuffen naar King's Fenton.'

Ze wees naar rechts, waar men lord Peter midden op de weg kon zien staan gebaren.

'Wat voor soort man was het?'

Ze dacht dat hij nogal jong en nogal lang was, in zo'n lange jas als motorrijders dragen, met een riem erom.

'Was het een heer?'

Mevrouw Hardraw aarzelde.

'Hebt u het nummer van de motorfiets niet gezien?'

Mevrouw Hardraw had het niet gezien. 'Maar hij had een zijspan.'

Lord Peters gebaren werden heel heftig en Parker voegde zich haastig bij hem.

'Kom mee, ouwe kletsmeijer,' zei lord Peter onredelijk. 'Dat is een mooie greppel. Kijk eens naar mijn broek.'

'Het is een hele klim van deze kant,' zei Parker.

'Inderdaad. Hij stond hier in de greppel en zette één voet op deze plek, waar het hek is weggebroken, legde één hand op het boveneinde en hees zich toen op. Maat 10 moet een man van buitengewone lengte, kracht en lenigheid zijn geweest. Ik kon mijn voet niet naar boven krijgen, laat staan dat ik het boveneind met mijn hand kon bereiken. Ik ben een meter vijfenzeventig. Zou jij het kunnen?'

Parker was een meter drieëntachtig en kon het boveneind van de muur juist met zijn hand aanraken.

'Ik *zou* het misschien kunnen - als ik in vorm was,' zei hij.

'Zou hij geen helper hebben gehad, om hem een steuntje te geven?'

'Nee, behalve als die helper een wezen was zonder voeten of zonder zichtbare middelen om zich staande te houden,' zei lord Peter, terwijl hij naar het eenzame spoor van een paar gelapte schoenen maat 10 wees. 'Maar hoe kon hij in het donker zo rechtstreeks afgaan op de plaats waar de punten ontbraken? Het lijkt of hij uit de buurt kwam of zich al eerder op de hoogte had gesteld.'

'Naar aanleiding van dat antwoord,' zei Parker, 'zal ik je nu het onderhoudende "kletspraatje" vertellen, dat ik met mevrouw Hardraw heb gehad.'

'H'm!' zei Wimsey, toen de ander was uitgesproken. 'Dat is interessant. We kunnen in Riddlesdale en King's Fenton informeren. Inmiddels weten we waar maat 10 vandaan kwam. Maar waar ging hij heen, nadat hij het lichaam van Cathcart bij de put had achtergelaten?'

'De voetstappen liepen naar het wildpark,' zei Parker. 'Daar ben ik ze kwijtgeraakt. Er is daar een tapijt van dode bladeren en varens.'

'Goed, maar we hoeven al dat speurwerk niet nog eens over te doen. De kerel ging naar binnen en, aangezien hij er wel niet meer zal zijn, is hij weer naar buiten gegaan. Hij is niet door de poort naar buiten gegaan, anders had Hardraw hem gezien. Hij is niet langs dezelfde weg naar buiten gegaan als waarlangs hij is gekomen, anders had hij sporen achtergelaten. Hij is dus ergens anders naar buiten gegaan. Laten we om de muur heen lopen.'

'Dan moeten we linksaf slaan,' zei Parker.

Ze staken de weg over, passeerden het landhuisje, verlieten toen de weg en volgden de omheining door een paar open grasvelden. Het duurde niet lang of ze vonden wat ze zochten. Aan een van de ijzeren punten boven hun hoofd wapperde verlaten een strook stof. Met Parkers hulp haalde Wimsey het eraf, in een toestand van bijna lyrische opwinding.

'Kijk eens aan,' riep hij uit. 'De riem van een regenjas! Geen enkele voorzorgsmaatregel hier. Daar heb je de teenafdrukken van een kerel die voor zijn leven rent. Hij heeft zijn regenjas afgerukt, hij heeft wanhopige sprongen gemaakt - een, twee, drie - naar de omheining. Bij de derde sprong bleef hij aan de punten hangen. Hij krabbelde omhoog en liet lange krassen op het hek achter. Hij kwam erbovenop. O, kijk, hier in deze spleet zit een bloedvlek. Hij heeft z'n handen gewond. Hij sprong naar beneden. Hij rukte de jas weg en liet de riem fladderen -'

Lord Peter bleef staan met de riem tussen zijn vingers. Zijn grijze ogen dwaalden rusteloos over het terrein.

Plotseling greep hij Parker bij de arm en liep snel in de richting van een muurtje aan de overkant. Hier snuffelde hij rond als een terrier, de neus naar de grond en de punt van de tong tussen zijn tanden. Toen sprong hij eroverheen en zei tegen Parker:

'Kijk eens hier.'

Dicht onder de muur, diep afgedrukt in de nauwe, modderige laan, die met rechte hoeken naar de hoofdweg liep, stond het spoor van een motor met zijspan.

'Een mooi spoor,' zei Parker goedkeurend. 'Een nieuwe Dunlop-band om het voorwiel. Een oude band om het achterwiel. Een lap om de band van de zijspan. Beter kon het niet. De sporen komen van de weg en lopen naar de weg terug. De kerel heeft de motor hier naar

toe gesleept voor het geval dat er iemand met een onder-
zoekende geest langs de weg zou komen en ermee vandoor gaan of het nummer opschrijven. Toen is hij naar
de opening gelopen, die hij overdag had gezien en er
daar overheen gegaan. Na de zaak-Cathcart werd hij
bang, rende het wildpark in en koos de kortste weg naar
zijn kar, zonder ergens op te letten.'

Hij ging op het muurtje zitten, haalde zijn notitieboekje te voorschijn en krabbelde een signalement neer
van de man aan de hand van de gegevens, die ze al hadden.

'Ik vraag me af,' zei Freddy Arbuthnot, 'welke krank-
zinnige idioot de zondagmiddag heeft uitgevonden.'

'Mopper jij maar niet, Freddy,' zei lord Peter, die al
enige tijd bezig was op hoogst hinderlijke wijze alle la-
den van het schrijfbureau open en dicht te schuiven en
domweg de sluiting van de openslaande deuren heen en
weer liet springen. 'Wat moet die ouwe Jerry het saai
hebben. Ik moest hem maar een woordje schrijven.'

Hij keerde naar de tafel terug en nam een vel papier.
'Wordt deze kamer vaak gebruikt om brieven te
schrijven?'

'Geen idee,' zei Freddy. 'Zelf schrijf ik ze nooit. Ik
denk dat Denver, wanneer hij al schrijft, het hier doet.'

Peter schoof een vouwbeen onder het bovenste vel
van het schrijfbloc en hield het tegen het licht. 'Goed zo,
ouwe jongen. Je krijgt een tien voor je opmerkingsgave.
Hier heb je de handtekening van Jerry en die van de kolonel en een grote, wijd uitlopende hand, die ik voor een
vrouwenhand houd.' Hij keek weer naar het papier,
schudde het hoofd, vouwde het vel op en stak het in zijn
portefeuille.

Parker was met de auto naar King's Fenton gegaan,
met de opdracht om onderweg uit te stappen in Riddlesdale en daar naar een groenogige kat te informeren en
ook naar een jongeman met een zijspan-motor.

De pen van lord Peter kraste zachtjes over het papier,
stopte, begon opnieuw en stopte helemaal. Het vuur
knetterde; Freddy begon te neuriën en met zijn vingers
op de leuning van zijn stoel te trommelen. De wijzers

van de klok bewogen zich traag voort naar vijf uur. Dat betekende thee en de komst van de hertogin.

'Hoe gaat het met Mary?' vroeg lord Peter.

'Ik maak me werkelijk bezorgd over haar,' zei de hertogin. 'Ze laat zich helemaal op haar zenuwen gaan. Dat is niets voor haar. Ze laat niemand bij zich toe. Ik heb dr. Thorpe weer laten roepen.'

'Denk je niet dat het beter voor haar zou zijn als ze opstond en een poosje beneden kwam?' opperde Wimsey.

'Heeft u nog meer brieven, uwe genade?' vroeg de knecht, die met de brieventas binnenkwam.

'O, ga je nu naar de post?' vroeg Wimsey. 'Ja, hier is er een - en je krijgt er nog een, als je even wacht tot ik hem af heb.'

De brief was gericht aan de hertogin-weduwe van Denver.

Uit de Morning Post van maandag, - november 19..:

Verlaten Motorfiets

Een veedrijver heeft gisteren een eigenaardige ontdekking gedaan. Hij is gewend zijn dieren te laten drinken uit een vijver, die een eindje van de weg af ligt, ongeveer 12 kilometer ten zuiden van Ripley. Bij deze gelegenheid merkte hij, dat een van de dieren in moeilijkheden was. Toen hij het dier ging helpen, vond hij het verward in een motorfiets, die in de vijver gereden was. Met de hulp van een paar werklieden haalde hij de motorfiets eruit. Het is een Douglas met een donkergrijs zijspan. De nummerborden en kentekens waren zorgvuldig verwijderd. Het lijkt waarschijnlijk, dat hij er niet langer dan een week heeft gelegen, aangezien de vijver 's zondags en 's maandags vaak gebruikt wordt om vee te drenken. De politie zoekt naar de eigenaar. De voorband van de motorfiets is een nieuwe Dunlop en de band van de zijspan is gerepareerd met een lap. De motor is een sterk versleten model 1914.'

'Daar zit iets in,' zei lord Peter peinzend.

Bunter verscheen juist op het ogenblik dat zijn meester zich in zijn overjas werkte.

'Wat stond er verleden donderdag ook weer in de krant over een nummerbord, Bunter?' vroeg Wimsey.

Bunter haalde als bij toverslag een knipsel uit een avondblad te voorschijn:

Nummerbord-mysterie

Ds. Nathaniel Foulis van de parochie van St. Simon, North Fellcote, werd vanmorgen om zes uur aangehouden, omdat hij een motorfiets zonder nummerborden bereed. De dominee scheen als door de bliksem getroffen, toen zijn aandacht hierop werd gevestigd. Hij verklaarde, dat hij om 4 uur in de morgen in aller ijl was ontboden om het sacrament toe te dienen aan een stervend gemeentelid, dat op zes kilometer afstand woonde. Hij was haastig vertrokken op zijn motorfiets, die hij in goed vertrouwen aan de kant van de weg had laten staan, terwijl hij zijn gewijde plichten vervulde. De heer Foulis verliet het huis om 5.30 uur zonder te merken dat er iets aan de hand was. De heer Foulis is welbekend in North Fellcote en omgeving en het is nauwelijks aan twijfel onderhevig, dat hij het slachtoffer is geworden van een zouteloze grap. North Fellcote is een klein dorp, een paar kilometer ten noorden van Ripley.

'Ik ga naar Ripley, Bunter,' zei lord Peter.

'Ja, my lord. Hebt u mij nodig?'

'Nee,' zei lord Peter, 'maar wie speelt voor kamenier bij mijn zuster, Bunter?'

'Ellen, my lord, het tweede meisje.'

'Dan hoop ik dat je je conversatietalenten op Ellen wilt botvieren.'

'Uitstekend, my lord.'

'Wanneer is mijnheer Parker naar de stad vertrokken?'

'Vanochtend om zes uur, my lord.'

De omstandigheden begunstigden het onderzoek van Bunter. Hij liep tegen Ellen op, toen ze de achtertrap af kwam met een arm vol kleren. Een paar leren handschoenen vielen boven van de stapel. Met een excuus raapte hij ze op en volgde de jonge vrouw naar de dienstbodenkamer.

'Asjeblieft!' zei Ellen, terwijl ze haar last op de tafel smeet. 'Ik heb er een heel werk aan gehad om ze te krijgen. Ik noem het streken om te doen alsof je zo'n hoofdpijn hebt, dat je iemand niet je kamer binnen kan laten, die je kleren wil meenemen om ze te borstelen. Maar zodra ze weg zijn, springt ze uit bed en begint door de kamer te ijsberen. Zoiets kan ik geen hoofdpijn noemen. En u? Nou ja! u hebt er vast niet zo'n last van als ik. Mijn hoofd barst er soms bijna van. Je krijgt er zulke rimpels van in je voorhoofd.

'Ik zie geen enkele rimpel,' zei Bunter. 'Ik geloof dat ik er geen een zou vinden, al gebruikte ik de grote microscoop die lord Peter in de stad heeft.'

'Lieve help, meneer Bunter,' zei Ellen, terwijl ze een spons en een fles benzine uit de kast nam, 'waarvoor heeft lord Peter zo iets nodig?'

'Nou ja, je weet wel dat onze liefhebberij het onderzoek naar misdaden is en daarbij zou het wel eens kunnen voorkomen, dat we iets extra vergroot willen zien.'

'Is het heus waar, meneer Bunter,' zei Ellen, terwijl ze een tweed rok op de tafel uitspreidde en de benzinefles ontkurkte, 'dat u en lord Peter achter al die dingen kunnen komen?'

'Natuurlijk zijn we geen scheikundigen,' antwoordde Bunter, 'maar lord Peter heeft in een heleboel dingen geliefhebberd - genoeg om te weten of er iets verdacht uitziet. En als we twijfelen, laten we er een heel beroemde wetenschappelijke mijnheer bij komen.' (Hij hield Ellens hand galant tegen, toen deze de rok naderde met een in benzine gedrenkte spons.) 'Hier bijvoorbeeld. Er is een vlek op de zoom van deze rok, helemaal onder aan de zijnaad. Stel nu eens dat er een moordgeval was en dat degeen die deze rok had gedragen, verdacht werd. Dan zou ik die vlek onderzoeken.' (Hierbij haalde Bunter eensklaps een loep uit zijn zak.) 'Dan zou ik het aan de ene rand proberen met een natte zakdoek.' (Hij voegde de daad bij het woord.) 'En dan zou ik merken, zie je wel, dat het rood afgaf. Dan zou ik de rok binnenste buiten keren, ik zou zien dat de vlek door en door was en ik zou mijn schaar nemen.' (Bunter haalde een kleine, scherpe schaar voor de dag.) 'En dan zou ik een klein stukje uit de binnenrand van de zoom knippen, zo.' (Hij deed het.) 'Dat zou ik in een pillendoosje steken, zo' (het pillendoosje verscheen als bij toverslag uit een binnenzak) 'en het aan beide kanten met een ouwel verzegelen en erbovenop schrijven "Lady Mary Wimsey's rok" en de datum. Dan zou ik het rechtstreeks aan een van de chemische heren in Londen sturen en die zou door zijn microscoop kijken en me meteen vertellen, dat het konijnebloed was misschien, en hoeveel dagen het er had gezeten, en daarmee zou het uit zijn,' eindigde Bunter triomfantelijk. Hij stak zijn nagelschaar weer bij zich en stopte het pillendoosje met inhoud gedachteloos in zijn zak.

'Nou, dan zou hij zich vergissen,' zei Ellen, terwijl ze strijdlustig het hoofd in de nek wierp, 'want het is vogelbloed. Hare hoogheid heeft 't me zelf verteld.'

'Nu ja, ik noemde konijnen alleen maar als voorbeeld,' zei Bunter. 'Grappig dat ze daar onderaan een vlek heeft opgelopen. Ze moet er regelrecht in geknield hebben.'

'Ja, 't Heeft erg gebloed, hè, dat arme schepsel? Iemand moet erg achteloos hebben geschoten. Het is niet zijne hoogheid geweest en ook niet die arme kapitein. Misschien was het mijnheer Arbuthnot. Hij schiet soms nogal wild. In ieder geval is het een vieze plek en het is zo moeilijk schoon te maken, doordat het er zo lang op heeft gezeten. Ik ben er gewoon niet aan toe gekomen iets schoon te maken op de dag dat die arme kapitein werd vermoord. "Ik wou alleen maar uw rokken borstelen, my lady," zeg ik. "Die vervloekte rokken," zegt zij. "Ga weg, Ellen. Ik ga gillen als ik je daar zo zie rondscharrelen. Je werkt op mijn zenuwen." Ik was vreselijk kapot toen Bert, mijn vrijer, in de oorlog gesneuveld was - ik heb m'n ogen bijna uit m'n hoofd gehuild, echt waar. Maar lieve hemel, meneer Bunter, ik zou me geschaamd hebben als ik zo te keer was gegaan. Bovendien, tussen u en mij en het poorthek, lady Mary was

52

niet zo dol op de kapitein. Ze heeft nooit iets om hem gegeven, dat heb ik toen ook tegen de keukenmeid gezegd en ze was het met me eens.'

'Aha!' zei Bunter. 'Dus al met al was hare hoogheid een beetje meer van streek dan jij had verwacht?'

'Nou, om u de waarheid te zeggen, meneer Bunter, ik geloof dat het maar een bui is. Ze wou trouwen en van huis weg. Zij en zijne hoogheid konden nooit samen opschieten en toen ze tijdens de oorlog in Londen was, had ze een reuze-prettige tijd. Ze verpleegde officieren en ging met allerlei rare lui om, waar zijne hoogheid niet op gesteld was. Toen had ze een soort liefdesaffaire met de een of andere vent van heel lage komaf, zegt de keukenmeid. Zijne genade maakte een vreselijk kabaal en stuurde niets meer en liet haar naar huis halen en sindsdien is ze er wild op om er met iemand vandoor te gaan. Ze zit vol grillen.'

Ellen was buiten adem geraakt. Ze was klaar met het verwijderen van de bloedvlekken en richtte zich op.

'Zwaar werk is dat,' zei ze, 'wrijven. Je wordt er helemaal pijnlijk van.'

'Als je me zou toestaan je te helpen,' zei Bunter, terwijl hij het hete water, de benzinefles en de spons naar zich toe haalde.

Hij schoof een andere strook van de rok naar boven.

'Heb je een borstel bij de hand,' vroeg hij.

'U bent toch niet blind, meneer Bunter?' zei Ellen giechelend. 'Ziet u niet dat hij vlak voor u ligt?'

'O ja,' zei de knecht. 'Maar die is niet zo hard als ik zou willen. Ga gauw even een echt harde voor me halen, dan ben je een lieve meid en maak ik dit voor je in orde.'

'Ik zal de klerenborstel uit de gang voor u halen. Die is zo hard als steen.'

Nauwelijks was ze de kamer uit of Bunter haalde een zakmes en nog twee pillendoosjes te voorschijn. In een oogwenk had hij de oppervlakte van de rok op twee plaatsen afgeschrapt en twee nieuwe etiketten geschreven:

'Grind van lady Mary's rok, ongeveer 10 centimeter van de zoom.'

'Zilverzand van de zoom van lady Mary's rok.'

Hij schreef er de datum bij en had de doosjes amper in zijn zak gestopt, of Ellen keerde met de klerenborstel terug. Het schoonmaken ging nog enige tijd voort. Een derde vlek op de rok bracht een kritische blik in Bunters ogen.

'Heidaar!' zei hij. 'De lady heeft dit zelf proberen schoon te maken.'

'Wat?' riep Ellen uit. Ze tuurde aandachtig naar de plek, die aan de ene rand uitgeveegd en verbleekt was en een ietwat vet voorkomen had.

'Kan het niet al eerder gedaan zijn?' opperde Bunter.

'Ja, ze kan ermee bezig zijn geweest tussen de dag waarop de kapitein is vermoord en die van het onderzoek,' stemde Ellen toe, 'ofschoon je zou denken dat dat geen tijd was om te beginnen met het leren van huishoudelijk werk.'

'Kan ze water koken in haar slaapkamer?'

'Waarvoor zou ze dat doen?' riep Ellen verbaasd uit. 'U denkt toch niet dat ze er een ketel op na houdt? Ik breng haar ochtendthee boven. Ladies hoeven geen water te koken.'

'Nee,' zei Bunter, 'en waarom zou ze het niet in de badkamer hebben gehaald?' Hij onderzocht de vlek nog zorgvuldiger. 'Echt amateurswerk,' mompelde hij.

De commissaris van politie in Ripley ontving lord Peter aanvankelijk koeltjes.

'Ik ben bij u gekomen,' zei Wimsey, 'omdat u dat onderzoekswerk heel wat beter verstaat dan een amateur zoals ik. Ik vermoed dat uw dienst al hard aan 't werk is, nietwaar?'

'Natuurlijk,' zei de commissaris, 'maar het is lang niet makkelijk om een motorfiets op te sporen zonder het nummer te kennen. We hebben er eerst niet aan gedacht, hem in verband te brengen met de geschiedenis van het nummerbord,' vervolgde hij op een achteloze toon, die echter op lord Peter de indruk maakte, dat zijn eigen opmerkingen in het afgelopen half uur in het ambtelijke brein voor het eerst de verbinding tot stand hadden gebracht. 'Natuurlijk, als men hem *zonder* nummerbord door Ripley had zien gaan, zou hij opgemerkt en aangehouden zijn, terwijl hij met dat van meneer Foulis zo veilig was als - als de Bank van Engeland.'

'Kennelijk,' zei Wimsey. 'Een vreselijke opwinding voor die arme dominee. En zo vroeg in de morgen. Is het niet zuiver als een grap opgevat?'

'Inderdaad,' gaf de commissaris toe, 'maar na wat we van u gehoord hebben, zullen we alles doen wat we kunnen om de man te krijgen. U kunt op ons vertrouwen, en als we de man of de nummerborden vinden . . .'

'U gaat uw tijd toch zeker niet verspillen met het zoeken naar de nummerborden? Zoekt u nou maar de treinstations af naar een jongeman van ruim een meter tachtig, schoenen maat 10 en gekleed in een regenjas, waaraan de riem ontbreekt, en met een diepe schram over een van zijn handen. Kijkt u eens, hier hebt u m'n adres. Ik zal u heel dankbaar zijn, als u me laat weten wanneer er iets is gevonden. Deze zaak is buitengewoon vervelend voor mijn broer, dat begrijpt u wel. Hij is een gevoelig mens; het raakt hem diep. Tussen haakjes: ik ben een echte zwerver, ik zit overal en nergens; als er nieuws is, kunt u me in duplo telegraferen naar Riddlesdale en naar Londen, 110 Piccadilly.'

Toen lord Peter in Riddlesdale terugkwam, vond hij een nieuwe gast bij de thee. Bij Peters binnenkomst rees hij torenhoog op en stak een welgevormde, expressieve hand uit, die voor een toneelspeler een fortuin zou hebben betekend. Hij was geen acteur, maar die hand kwam hem goed van pas om dramatische ogenblikken tot hun recht te doen komen. Zijn fraaie bouw en de edele lijnen van schedel en profiel waren indrukwekkend, zijn trekken waren volmaakt; zijn ogen meedogenloos. De hertogin-weduwe had eens gezegd: 'Sir Impey Biggs is de knapste man van Engeland en geen vrouw zal ooit iets om hem geven.' Hij was 38 jaar, vrijgezel, en beroemd om zijn welsprekendheid en zijn vlotte, maar onbarmhartige analyse van vijandige getuigen.

'Kom je net van Jerry?' vroeg hij. 'Nog wat geroosterd brood, asjeblieft, Fleming. Hoe verdraagt hij het? Vermaakt hij zich nogal? Ik heb nog nooit iemand gekend die zo weinig als Jerry van welke situatie ook profiteert.

Ik zou zelf wel eens die ervaring willen doormaken; maar ik zou het afschuwelijk vinden, als ik opgesloten zat en moest toezien hoe andere idioten mijn zaak verknoeiden. Dat slaat niet op jou en Murbles.'

'Ik zei net tegen sir Impey,' zei de hertogin, 'dat hij Gerald heus ertoe moet brengen, te zeggen wat hij 's morgens om drie uur in de tuin uitvoerde. Als ik maar op Riddlesdale was geweest, zou dat allemaal niet gebeurd zijn. Natuurlijk weten *wij* allemaal dat hij geen kwaad deed, maar we kunnen niet verwachten dat de juryleden dat begrijpen. De lagere klassen zijn zo bevooroordeeld.'

'Ik doe wat ik kan om hem over te halen, hertogin,' zei sir Impey. 'Maar u moet geduld hebben. Advocaten houden van een beetje geheimzinnigheid, weet u. Stel je voor, als iedereen dadelijk de waarheid en niets dan de waarheid zou zeggen, konden wij allemaal wel naar het armenhuis gaan.'

'De dood van kapitein Cathcart is erg geheimzinnig,' zei de hertogin. 'Maar als ik denk aan de dingen die nu over hem aan de dag zijn gekomen, lijkt het werkelijk, wat mijn schoonzuster betreft, een voorzienige beschikking.'

Pas na het diner sprak sir Impey openhartig met Wimsey. De hertogin was naar bed en de beide mannen waren alleen in de bibliotheek. Peter nam nu een sigaar, trok zich in de grootste stoel terug en hulde zich in een volkomen stilzwijgen.

Sir Impey Biggs liep ongeveer een half uur rokend op en neer. Toen ging hij tegenover Peter zitten en zei: 'Vooruit, Wimsey, ik moet alles weten wat jij weet.'

Lord Peter nam zijn sigaar uit zijn mond, keek ernaar met zijn hoofd schuin, draaide hem voorzichtig rond, veronderstelde dat de as nog een paar minuten kon blijven hangen, rookte zwijgend verder, totdat de val onvermijdelijk was, nam de sigaar weer uit zijn mond, deponeerde de aspunt precies in het midden van de asbak en begon zijn verslag, waarbij hij alleen het geval met de koffer en de inlichtingen, die Bunter van Ellen had gekregen, verzweeg.

Sir Impey Biggs luisterde. Af en toe stelde hij een vraag en maakte een paar notities. Toen Wimsey klaar was, trommelde hij peinzend op zijn opschrijfboekje.

'Ik geloof dat we hier een zaak van kunnen maken,' zei hij, 'zelfs als de politie de geheimzinnige vent niet vindt. Denvers zwijgzaamheid is natuurlijk een vervelende complicatie.' Hij hield even de hand boven de ogen. 'Zei je dat je de politie had aangezet om de man op te sporen?'

'Ja.'

'Heb je een erg lage dunk van de politie?'

'Niet voor dat soort dingen. Dat ligt in hun lijn; ze hebben alle hulpmiddelen en ze doen het goed.'

'Probeer je die man heus te vinden?'

'Zeker.'

'Heb je wel eens bedacht dat het misschien beter is als hij niet gevonden wordt?'

Wimsey staarde met zoveel oprechte verbazing naar de advocaat, dat deze erdoor ontwapend werd.

'Bedenk wel,' zei de laatste ernstig, 'dat als de politie eenmaal iets of iemand in handen krijgt, het geen zin heeft om te vertrouwen op mijn beroepsdiscretie of die van Murbles of van iemand anders. Alles wordt uit elkaar gerafeld en open en bloot aan het daglicht gebracht. Het geval wil dat Denver van moord wordt beschuldigd en dat hij nadrukkelijk weigert mij ook maar de geringste medewerking te verlenen.'

'Jerry is een ezel. Hij beseft niet . . .'

'Denk je soms,' onderbrak Biggs, 'dat ik er niet alles op gezet heb om het hem te doen beseffen? Alles wat hij zegt is: "Ze kunnen me niet ophangen; ik heb de man niet vermoord, hoewel ik het best vind dat hij dood is. Wat ik in de tuin deed, gaat hun niet aan." Nou vraag ik je, Wimsey, is dat een redelijke houding voor een man in Jerry's omstandigheden?'

'Heeft iemand Denver iets over die andere man verteld?'

'Bij de zitting is een vage opmerking over voetstappen gemaakt.'

'Die man van Scotland Yard is een persoonlijke vriend van je, hoor ik.'

'Ja.'

'Des te beter. Hij kan zijn mond houden.'

'Hoor eens, Biggs, het is allemaal ontzettend indrukwekkend en geheimzinnig, maar wat bedoel je eigenlijk? Waarom zou ik die knaap niet in zijn kraag grijpen, als ik kan?'

'Ik zal die vraag met een wedervraag beantwoorden.' Sir Impey boog zich een weinig naar voren. 'Waarom dekt Denver hem?'

'Hemel!' zei Peter. 'Daar heb ik niet aan gedacht. Wat een speurders zijn jullie advocaten. Als dat zo is, moet ik voorzichtig zijn, hè? Ik ben altijd een beetje haastig geweest.'

'Je bent een slimme duvel, Wimsey,' zei de advocaat. 'Misschien heb ik het bij 't verkeerde eind. Zorg vooral dat je die man vindt. Ik wou je nog één ding vragen. Wie dek jij?'

'Kijk eens, Biggs,' zei Wimsey, 'je wordt niet betaald om hier zulke vragen te stellen. Daar kan je wel mee wachten tot je tegenover de rechters staat. Stel je voor dat ik Cathcart zelf vermoord had . . .'

'Dat heb je niet gedaan.'

'Dat weet ik wel. Maar als ik het gedaan had, hoefde jij me geen vragen te stellen en niet zo naar me te kijken. Maar om je ter wille te zijn, wil ik je wel ronduit zeggen dat ik niet weet wie die knaap afgemaakt heeft. Als ik het weet, zal ik het je vertellen.'

'H'm!' zei Biggs. 'Ik kan je wel zeggen dat ik een zodanige weg volg, dat ze er geen zaak van kunnen maken.'

'Niet bewezen, hè? Wat er ook gebeurt, ik zweer dat mijn broer niet zal hangen doordat ik niet voldoende bewijzen bijeen heb gebracht.'

'Natuurlijk niet,' zei Biggs en voegde er in stilte aan toe: 'Maar je hoopt dat het zover niet komt.'

Een regenstraal plensde door de brede schoorsteen omlaag en siste op de houtblokken.

Craven Hotel, Strand, W. C.

Mijn beste Wimsey, - Een woordje om de vorderingen te melden. Op de heenreis zat ik naast mevrouw Pettigrew-Robinson. Ze zei dat toen je zuster donderdagochtend de huishouding alarmeerde, ze het eerst naar de kamer van Arbuthnot gegaan was - een feit, dat deze dame wonderlijk scheen te vinden, maar dat natuurlijk genoeg is, als je bedenkt, dat die kamer direct bovenaan de trap is. Arbuthnot heeft de Pettigrew-Robinsons gewaarschuwd en P. rende direct naar beneden. Mevrouw P. zag toen dat lady Mary er erg betrokken uitzag en probeerde haar te helpen. Je zuster duwde haar weg, ruw, zei mevr. P. en wees woest alle aanbiedingen van hulp van de hand, rende naar haar eigen kamer en sloot zich op.

Als mevrouw Marchbanks me dit had verteld, zou ik ongetwijfeld deze gebeurtenis de moeite waard hebben gevonden om er nader op in te gaan, maar ik voor mij zou zelfs als ik op sterven lag nog de deur sluiten tussen mij en mevrouw Pettigrew-Robinson. Lady Mary was gekleed in een lange jas over haar pyjama, stevige schoenen en een wollen muts. Gedurende het daarop volgende bezoek van de dokter hield ze deze kledingstukken aan. Een verdere merkwaardige kleinigheid is, dat mevrouw Pettigrew-Robinson (die, zoals je je herinnert van 2 uur af wakker was) er zeker van is, dat even voordat lady Mary op de deur van Arbuthnot klopte, ze een deur ergens in de gang hoorde slaan. Ik weet niet wat ik hiervan moet denken - misschien steekt er niets achter, maar ik vermeld het toch even.

Ik heb een beroerde tijd in de stad. Je aanstaande zwager was een model van discretie. Ik heb enige van zijn aanstaande gastheren bezocht, maar het waren merendeels mannen, die hij op de club had ontmoet of die hem bij het leger hadden gekend en die mij niets over zijn privé-leven konden vertellen. Hij is in verscheidene nachtclubs bekend. De algemene opinie: gul, maar ontoegankelijk. Poker schijnt zijn geliefkoosd spel te zijn geweest. Geen enkele opmerking over misdadige trek-

ken. Hij won over 't geheel nogal, maar nooit op erg opzienbarende wijze.

Ik geloof dat de inlichtingen die wij nodig hebben in Parijs moeten zijn. Ik heb naar de Sûreté en de Crédit Lyonnais geschreven om zijn papieren over te leggen, speciaal zijn rekening en chequeboek.

Tenzij je me nodig hebt, wacht ik hier op de papieren of ik reis zelf even naar Parijs.

Ingesloten rekening van een schoonheidsspecialiste in Bond Street zal je interesseren. Ik heb haar opgezocht. Ze zegt, dat hij als hij in Engeland was, iedere week geregeld kwam.

Ik heb zondag in King's Fenton bot gevangen, o, maar dat heb ik je al verteld. Ik geloof niet dat de kerel daar ooit is geweest. Ik vraag me af of hij in het moeras is verzeild. Het is de moeite waard om het na te snuffelen. Nou, tot ziens.

CH. PARKER

hoofdstuk 4

BUNTER BRACHT PARKERS BRIEF woensdagmorgen aan lord Peter, die nog in bed lag. Het huis was bijna verlaten, daar iedereen naar Northallerton was gegaan, om de zitting van de politierechtbank bij te wonen. De zaak zou natuurlijk louter formeel zijn, maar het leek niet meer dan gepast, dat de familie voltallig aanwezig zou zijn. De hertogin-weduwe was er ook - ze had direct de partij van haar zoon gekozen. Lady Mary was ziek, daar viel niets over te zeggen, en indien Peter er de voorkeur aan gaf, in pyjama sigaretten te blijven roken, terwijl zijn enige broer een openbare vernedering onderging, was dat iets dat men kon verwachten. Peter aardde naar zijn moeder. Hoe die excentrieke draai in de familie was gekomen, kon hare hoogheid zich niet voorstellen, want de douairière kwam uit een goede familie.

Lord Peter was wakker en zag er nogal vermoeid uit, alsof hij in zijn slaap aan het speuren was geweest. Bunter hulde hem bezorgd in een schitterende Oosterse japon en zette het blad op zijn knieën.

'Bunter,' zei lord Peter ietwat gemelijk, 'jouw *café au lait* is het enige draaglijke verschijnsel in dit afschuwelijk huis.'

'Dank u, my lord. Het is weer erg kil vanmorgen, my lord, hoewel het niet regent.'

Lord Peter fronste het voorhoofd boven zijn brief.

'Staat er iets in de krant, Bunter?'

'Niets dringends, my lord.'

'Heb je die monsters aan Lubbock gestuurd?'

'Ja, my lord,' zei Bunter zacht. Dr. Lubbock was de 'scheikundige meneer'.

'Ik moet feiten hebben,' zei lord Peter, 'feiten.'

Bunter was reeds begonnen met het aanzetten van een scheermes. Lord Peter sprong eensklaps met een grote zwaai uit bed en snelde over het portaal naar de badkamer.

Daar leefde hij voldoende op om zijn stem te verheffen en een tophit te zingen, waardoor zijn humeur zozeer verbeterde, dat hij, tegen alle gewoonte in, verscheidene liters koud water in het bad liet lopen en zich krachtig afsponsde. Nadat hij zich wild met een handdoek had bewerkt, stormde hij de badkamer uit en stootte zijn scheen nogal hard tegen het deksel van een grote eikehouten kist, die bovenaan de trap stond - zo hard zelfs, dat het deksel door de schok omhoogvloog en met een protesterende slag weer dichtviel.

Lord Peter bleef staan om een krachtig woord te uiten en zijn been zachtjes te strelen. Toen schoot hem een gedachte te binnen. Hij legde zijn spullen neer en lichtte kalm het deksel van de kist op.

Of hij, evenals de heldin van *Northanger Abbey,* er iets griezeligs in dacht te vinden, was niet duidelijk. Zeker is het dat hij, net als zij, niets ontstellenders aanschouwde dan wat lakens en gestikte dekens. Onvoldaan lichtte hij behoedzaam het bovenste ervan op en onderzocht dit even bij het licht van het trapvenster. Hij legde het laken juist weer op zijn plaats, waarbij hij zacht floot, toen het lichte gesis van een ingehouden ademhaling hem eensklaps deed opkijken.

Zijn zuster stond achter hem. Hij had haar niet horen komen, maar ze stond daar in haar peignoir, de handen samengeklampt op de borst.

'Hallo, Polly,' zei hij, 'waar heb je al die tijd gezeten? Dit is voor het eerst dat ik je zie. Ik vrees dat je het er nog al beroerd door hebt gehad.'

Hij sloeg zijn arm om haar heen en voelde haar ineenkrimpen.

'Wat is er aan de hand?' vroeg hij. 'Wat heb je, kind? Luister eens, Mary, we hebben elkaar eigenlijk niet vaak genoeg ontmoet, maar ik ben je broer. Zit je in moeilijkheden? Kan ik niet . . .'

'Moeilijkheden?' zei ze. 'Idioot dat je bent, natuurlijk zit ik in moeilijkheden. Weet je dan niet dat ze m'n man hebben vermoord en m'n broer in de gevangenis gestopt? Is dat niet genoeg om in moeilijkheden te zitten?' Ze lachte en Peter dacht opeens: 'Ze praat als een figuur uit een gruwelroman.' Ze sprak verder op een meer natuurlijke toon. 'Het gaat heus wel, Peter - alleen heb ik zo'n naar gevoel in mijn hoofd. Ik weet echt niet wat ik doe. Wat voer jij uit? Je hebt zo'n kabaal gemaakt, dat ik de kamer uit kwam. Ik dacht dat er een deur sloeg.'

'Je kunt beter weer naar bed gaan,' zei lord Peter. 'Je wordt door en door koud.'

'Moet Gerald vandaag voorkomen?'

'Niet bepaald voorkomen,' zei Peter, terwijl hij haar zachtjes voortduwde naar haar kamer. 'Het is alleen maar een formaliteit, zie je. Die ouwe grappenmaker van een rechter laat de beschuldiging voorlezen en dan komt die ouwe Murbles op het toneel en zegt dat hij alleen maar formele verklaringen wenst te horen, aangezien hij nader overleg moet plegen met de advocaat. Dat is Biggy, weet je. Dan luisteren ze naar het arrestatiebevel en Murbles zegt dat de ouwe Gerald zich zijn verdediging voorbehoudt. Dat is alles tot de rechtbank bijeenkomt - verklaringen voor de Grote Jury - een hoop nonsens! Dat zal begin van de volgende maand zijn, dénk ik. Je moet zorgen dat je dan weer helemaal bij je positieven bent.'

Mary huiverde.

'Nee - nee! Zou ik er niet buiten kunnen blijven? Ik kan het niet nog eens allemaal doormaken. Nee, kom niet binnen. Ik wil je niet hebben.'

Peter aarzelde, ietwat ongerust.

'Veel beter van niet, my lord, als ik het zeggen mag,' sprak de stem van Bunter aan zijn oor. 'Dat geeft alleen maar hysterische aanvallen. Heel bedroevend voor beide partijen en volkomen onvruchtbaar wat resultaten betreft.'

Achter Riddlesdale Lodge strekte het moeras zich grimmig in alle richtingen uit. De heidestruiken waren bruin en vochtig en de kleine stroompjes waren kleurloos. Het was zes uur, maar men kon geen zonsondergang waarnemen. Slechts een bleke glans had zich de hele dag achter de dikke lucht van het oosten naar het westen voortbewogen. Lord Peter, die terugkeerde na een lang en vruchteloos onderzoek naar gegevens omtrent de man met de motorfiets, gaf uiting aan de verveling, die zich van zijn levendige geest had meester gemaakt.

Hij ging niet direct naar het Huis, maar naar een boerderij, die er ongeveer vier kilometer vandaan lag, bekend als Grider's Hole. Peter had weinig hoop dat hij op Grider's Hole iets nieuws zou horen, maar hij was vervuld van een grimmige vastberadenheid om geen steen op de andere te laten. Voor zichzelf was hij er echter van overtuigd dat de motorfiets langs de hoofdweg was gekomen, ondanks Parkers onderzoekingen, en misschien rechtstreeks door King's Fenton was gereden, zonder te stoppen of de aandacht te trekken. Maar hij had gezegd dat hij de omtrek zou afzoeken en Grider's Hole lag in de omtrek. Hij bleef staan om zijn pijp weer aan te steken en ploeterde toen stug verder. Het pad was eerst afgebakend met dikke witte palen, die op regelmatige afstanden stonden, en nu door hekken. De reden hiervoor werd duidelijk, wanneer men de bodem van het dal bereikte, want slechts een paar meter naar links begon de vlakte van ruwe, vezelige graspollen, met zuigende zwarte modder ertussen, waarin alles wat zwaarder dan een kwikstaartje was, weldra zou verdwijnen onder een reeks kleine luchtbellen. Wimsey bukte zich naar een leeg sardinenblikje, dat zwaar gedeukt aan zijn voeten lag en wierp het losjes in het moeras. Het raakte de oppervlakte met het geluid van een natte zoen en verdween onmiddellijk.

Hij merkte dat hij koude voeten en een lege maag had en dat hij nog een paar kilometer moest lopen. Hij kwam bij het hek van de boerderij, dat niet zo maar een hek van vijf planken was, maar hecht en afwerend. Er leunde een man overheen, die een strootje kauwde. Hij deed geen poging om opzij te gaan, toen Wimsey er aan kwam. 'Goeienavond,' zei de edelman opgewekt en legde zijn hand op de klink. ''t Is nogal koud, hè?'

De man antwoordde niet, maar leunde nog zwaarder op het hek en haalde diep adem. Hij droeg een grove jas en een korte broek; zijn beenbeschermers waren met mest overdekt.

'Dat hoort zo bij het jaargetijde, hè,' zei Peter. ''t Zal wel goed voor de schapen zijn, denk ik.'

De man nam het strootje uit zijn mond en spuwde in de richting van Peters rechterschoen.

'Raken jullie veel beesten in het moeras kwijt?' ging Peter voort.

De man spuwde nog eens, trok zijn hoed over zijn voorhoofd en zei kortaf: 'Wat mot je?'

'Och,' zei Peter, 'ik dacht er over een bezoekje te brengen bij meneer. Denk je dat hij thuis is?'

De man bromde.

'Nou, dat doet me genoegen,' zei Peter. ''t Is reuze prettig dat jullie Yorkshire-mensen allemaal zo vriendelijk en gastvrij zijn. Wie je ook bent, bij mij ben je altijd welkom, hoor. Neem me niet kwalijk, maar weet je wel dat je zo tegen het hek leunt, dat ik het niet kan openen? Je hebt er natuurlijk niet op gelet, maar je staat aan de goeie kant van de hefboom . . . Wat is dat een aardig huis! Wie woont daar eigenlijk?'

De man bekeek hem even van top tot teen en antwoordde: 'Meneer Grimethorpe.'

'Nee, is 't warempel?' zei lord Peter. 'Hoe is 't mogelijk! Dat is nou net de man die ik wou spreken. Hij is modelboer, hè? Ik kan nergens in North Riding komen, of ik hoor over meneer Grimethorpe. De boter van Grimethorpe is de beste. De huid van Grimethorpes schapen ligt nooit op apegapen; Grimethorpes spek smelt in je bek; Grimethorpes lamsbout voor goeie stamppot; een maag met Grimethorpes vlees erin heeft het altijd naar haar zin.'

Of de man bewogen werd door deze lyrische uitbarsting, dan wel of het dovende licht nog niet zo zwak was, dat hij de vage glans van het geldstuk in de palm van lord Peters hand kon zien, in ieder geval deed hij een slap achteruit.

'Dank je wel, ouwe jongen,' zei Peter, terwijl hij vlug langs hem heen liep. 'Ik zal meneer Grimethorpe zeker wel in huis vinden?'

'Hij stuurt de hond waarschijnlijk op je af.'

'Wat je zegt!' zei Peter. 'De trouwe hond verwelkomt de verloren zoon. Een toneeltje van familievreugde.'

Hoe dichter lord Peter bij de deur van de boerderij kwam, des te opgewekter werd hij. Hij hield van dit soort bezoeken. Hij verwachtte vrijwel niets van zijn onderzoek op Grider's Hole en wanneer hij wel iets had verwacht, had hij waarschijnlijk alle inlichtingen kunnen krijgen door handig met bankbiljetten te goochelen in aanwezigheid van de norse man bij het hek. Parker zou dat naar alle waarschijnlijkheid hebben gedaan; hij werd betaald voor het opsporen en voor niets anders. Noch zijn natuurlijke gaven noch zijn opleiding (op het gymnasium van Barrow-in-Furness) dreven hem ertoe zich op zijpaden te begeven op last van een onbeheerste verbeeldingskracht. Maar aan lord Peter deed de wereld zich voor als een plezierig labyrint. Hij had een behoorlijke kennis van vijf of zes talen, hij had enige vaardigheid en nog meer begrip op het gebied van muziek, hij was zo iets als een deskundige in de vergiftenleer, een verzamelaar van zeldzame uitgaven, een onderhoudende man van de wereld en iemand die doodgewoon van schandaaltjes hield.

Zijn eerste kloppen werd niet beantwoord. Daarom klopte hij nog eens. Deze keer bewoog er iets en een gemelijke mannenstem riep: 'Vooruit, laat ze binnen, verdomme,' beklemtoond door het geluid van een voorwerp, dat in de kamer viel of werd neergegooid.

De deur werd onverwachts geopend door een klein meisje van een jaar of zeven, heel donker en mooi. Ze wreef haar arm, alsof het voorwerp haar daar had geraakt. Ze stond afwerend op de drempel en versperde de toegang, tot dezelfde stem ongeduldig bromde:

'Nou, wie is daar?'

'Goeie avond,' zei Wimsey, terwijl hij zijn hoed afnam. 'Ik hoop dat u 't me niet kwalijk neemt dat ik zo binnen kom vallen. Ik woon op Riddlesdale Lodge.'

'Nou, en?' vroeg de stem.

Over het hoofd van het kind heen zag Wimsey de omtrek van een grote, zwaargebouwde man, die in de hoek van een reusachtige schoorsteen zat te roken. Er was geen ander licht dan van het vuur.

'Mag ik binnenkomen?' vroeg Wimsey.

'Als 't mot,' zei de man onvriendelijk. 'Doe de deur dicht, kind; wat sta je daar te staren? Ga naar je moeder en zeg dat ze je betere manieren moet leren.'

Dit scheen een geval van de pot, die de ketel verweet dat hij zwart was, maar het kind verdween haastig in de duisternis achter een hoge bank en Peter ging naar binnen.

'Bent u meneer Grimethorpe?' vroeg hij beleefd.

'En wat dan nog?' antwoordde de boer. '*Ik* hoef me niet te schamen voor m'n naam.'

'Zeker niet,' zei lord Peter, 'en ook niet voor uw boerderij. Een prachtbedrijf, hè? Tussen haakjes: ik heet Wimsey - lord Peter Wimsey, de broer van de hertog van Denver. Het spijt me dat ik u moet storen, u hebt het natuurlijk erg druk met de schapen en zo - maar ik dacht dat u het niet erg zou vinden, als ik eventjes een buurpraatje kwam maken. Het is hier nogal een eenzame streek, hè? Ik houd er van om kennis te maken met m'n buren. Ik ben aan Londen gewend, ziet u, waar de mensen nogal dicht gezaaid zijn. Ik vermoed dat hier weinig vreemdelingen langs komen.'

'Geen een,' zei Grimethorpe met nadruk.

De boer sloeg de sigaar met een kort woord af en zweeg. Wimsey stak zelf een sigaret op en keek peinzend naar zijn metgezel. Het was blijkbaar een man van ongeveer 45 jaar, ruw, hard en verweerd, met grote, hoekige schouders en korte, dikke dijen - een bull-terrier met een boos humeur. Daar hij tot de conclusie kwam dat zachte wenken aan dit wezen verspild waren, nam Wimsey een directere methode te baat.

'Om u de waarheid te zeggen, meneer Grimethorpe,' zei hij, 'ben ik niet zomaar komen binnenvallen. Het feit is dat ik naar een jongeman zoek - een kennis van me - die zei dat hij hier in de omtrek zou zwerven. Maar ik ben bang dat ik hem heb gemist. Ziet u, ik ben net terug van Corsica en naar wat mijn vriend zei, denk ik dat hij hier ongeveer een week geleden geweest moet zijn en mij niet thuis getroffen heeft. Maar hij heeft geen kaartje achtergelaten. Ik ben er niet zeker van. Bent u hem soms tegengekomen? Het is een lange vent met grote voeten op een motorfiets met zijspan. Ik dacht dat hij zich hier misschien had vertoond. Kent u hem?'

Het gezicht van de boer was opgezwollen en bijna zwart van woede geworden.

'Wat zeg je daar?' vroeg hij moeilijk.

'Ik vermoed vorige woensdagavond of donderdagochtend,' zei Peter met een hand op zijn zware Malakka-wandelstok.

'Ik dacht het wel,' gromde Grimethorpe, 'de slet, al die vervloekte wijven met hun smerige streken. Luister eens, meneer, was die zwerver een vriend van jou? Ja, ik was woensdag en donderdag in Stapley - dat wist je, hè? En je vriend wist het ook, hè? Als ik niet weg geweest was, des te erger voor ze. Ik had hem in het kot gestopt, als ik hem te pakken had gekregen, en daar kom jij aan-stonds ook - verdomme! Als ik hem hier weer rond zie zwerven, sla ik 'm al z'n botten kapot en stuur hem jou achterna.'

Bij deze verrassende woorden sprong hij Peter als een bulldog naar de keel.

'Dat zal niet gaan,' zei Peter, terwijl hij zich losmaak-te met een gemak dat zijn tegenstander verbaasde en diens pols met een geheimzinnige en ontzettend pijnlij-ke greep omklemde. 'Dat is niet verstandig, weet u - u zou iemand zo vermoorden. Een moord is een onplezie-rig ding. Dan krijg je een gerechtelijke lijkschouwing en zo. De officier van justitie stelt allerlei indiscrete vragen en er komt een vent die een touw om je nek doet.'

'Ga m'n huis uit,' zei Grimethorpe nors.

'Zeker,' zei Peter. 'Het spijt me dat u me niets over mijn vriend kunt vertellen.'

Grimethorpe sprong vloekend overeind, rende naar de deur en riep: 'Jabez!' Lord Peter staarde hem even aan en keek toen de kamer rond.

'Er deugt hier iets niet,' zei hij. 'Die knaap weet iets.'

Hij gluurde achter de bank en stond van aangezicht tot aangezicht met een vrouw.

'Jij?' zei ze met een diepe, hese snik. 'Jij? Je bent gek dat je hier komt. Vlug, vlug! Hij is de honden halen.'

Ze legde beide handen op zijn borst en duwde hem snel achteruit.

'Mevrouw,' zei Wimsey. 'Ik begrijp niet goed . . .'

Er kwamen duizend vragen in hem op, maar eer hij ze kon formuleren, klonk er achter uit het huis een lange gil, en toen nog een en nog een.

'Gauw, gauw!' zei ze. 'De honden! O God, o God, wat gaat er met mij gebeuren? Ga gauw, als je niet wilt zien hoe ik vermoord word. Ga, ga! Heb medelijden!'

'Luister eens,' zei Peter, 'kan ik niet blijven en je beschermen?'

'Je kunt blijven en me vermoorden,' zei de vrouw. 'Ga!'

Peter greep zijn stok en ging. De ondieren zaten hem op de hielen, terwijl hij vluchtte. Hij raakte de voorste met zijn stok en het beest deinsde grommend terug. De man leunde nog op het hek en men kon de hese stem van Grimethorpe horen, die hem toeriep de vluchteling te grijpen. Peter raakte handgemeen met hem; er volgde een vechtpartij van honden en mannen en plotseling merkte Peter, dat hij letterlijk over het hek werd gesmeten. Terwijl hij opkrabbelde en wegrende hoorde hij de boer de man uitvloeken, toen de stem van de vrouw, uitschietend in een verschrikte weeklacht. Hij keek over zijn schouder. De man en de vrouw en nog een man, die zich nu bij de groep had gevoegd, sloegen de honden terug en schenen Grimethorpe te overreden ze niet door te laten. Blijkbaar hadden hun vertogen enige uitwerking, want de boer wendde zich humeurig af en de andere man riep de honden weg. De vrouw zei iets en haar man wierp zich woedend op haar en sloeg haar tegen de grond.

Peter maakte een gebaar om terug te gaan, maar de stellige overtuiging dat hij de zaken alleen maar erger voor haar kon maken, weerhield hem. Hij stond stil en wachtte tot ze was opgestaan en naar binnen gegaan, waarbij ze met haar omslagdoek het bloed en vuil van haar gezicht veegde. De boer keek om zich heen, schudde de vuist naar hem en volgde haar in huis. Jabez haalde de honden op en dreef ze terug en Peters vriend keerde terug om weer over het hek te gaan leunen.

Peter wachtte tot de deur achter het echtpaar Grimethorpe was gesloten. Toen haalde hij zijn zakdoek te voorschijn en gaf in de halve duisternis voorzichtig een teken aan de man, die door het hek glipte en langzaam op hem toekwam.

'Luister eens,' zei Peter, 'heb je misschien ook een jongeman met een motorfiets gezien? Hij moet hier vorige woensdag of daaromtrent hebben rondgezworven.'

69

'Nee. Woensdag? Dat zou de dag zijn, waarop de baas naar Stapley was, ik denk voor machines. Nee, ik heb niks gezien.'

'Goed. Als je iemand ontmoet die wel wat heeft gezien, laat het me dan weten. Hier heb je mijn naam en ik logeer op Riddlesdale Lodge. Goeie avond. Dank je wel.'

De man nam het kaartje van hem aan en liep slungelig weg, zonder een woord van afscheid.

Lord Peter liep langzaam voort. Met moeite gaf hij zich rekenschap van zijn indrukken en plaatste ze in een soort volgorde.

'In de eerste plaats,' zei hij, 'meneer Grimethorpe. Een heer dat nergens voor staat. Heftig. Onvriendelijk. Ongastvrij. Voornaamste karaktertrek - jaloezie op zijn hoogst verwonderlijke vrouw. Was afgelopen woensdag en donderdag in Stapley om machinerieën te kopen. Heeft daardoor onze geheimzinnige vriend met zijspan niet gezien, *als* hij er is geweest. Is echter geneigd om te denken dat hij er *was* en twijfelt er nauwelijks aan waarvoor hij is gekomen. Zeer interessant! Waarom die zijspan? Een lastig ding om mee rond te toeren. Maar als onze vriend voor mevrouw G. kwam, heeft hij haar blijkbaar niet meegenomen.

'Tweede punt, mevrouw Grimethorpe. Laten we eens aannemen dat maat 10 met de veronderstelde bedoeling is gekomen. Dan had hij er alle reden voor. Mevrouw G. leeft in angst voor haar man, die haar als hij haar verdenkt zonder omwegen tegen de grond slaat. Het enige wat je voor de vrouw van zo'n bruut kunt doen, is uit haar buurt blijven. Mevrouw Grimethorpe weet iets - en ze kent iemand. Ze hield me voor iemand die alle reden had om niet naar Grider's Hole te gaan. Ik vraag me af waar ze zat, toen ik met Grimethorpe praatte. Ze was niet in de kamer. Aha! wacht eens even. Gaat me een licht op? Ze keek uit het raam en zag een vent in een oude regenjas. Maat 10 is een vent in een oude regenjas. Laten we nu eens aannemen dat ze me voor maat 10 houdt. Wat doet ze dan? Ze blijft wijselijk uit de buurt - ze snapt niet waarom ik zo gek ben me te vertonen. Dan, als Grimethorpe naar buiten rent en om de hondenman schreeuwt komt ze te voorschijn om haar - mogen we ronduit zeggen: haar minnaar? - te waarschuwen dat hij moet maken dat hij wegkomt. Ze merkt dat het niet haar minnaar is, maar alleen maar een starende ezel. Ze zegt tegen de ezel dat hij zichzelf en haar moet redden door hem te smeren. De ezel smeert hem. Niettemin werpt dit alles geen licht op hetgeen maat 10 in Riddlesdale Lodge heeft uitgevoerd.'

Aan het eind van zijn wandeling was hij niet tot een conclusie gekomen.

'Wat er ook gebeurt,' zei hij tegen zichzelf, 'en als het zonder levensgevaar voor haar kan gebeuren - ik moet mevrouw Grimethorpe weer zien.'

hoofdstuk 5

PARKER ZAT TERNEERGESLAGEN in een klein *apparte-ment* in de Rue St. Honoré. Het was een herenkamer, goed ingericht. Twee roodleren fauteuils stonden bij de koude haard. Op de schoorsteenmantel stond een bronzen klok, geflankeerd door twee glimmende Duitse granaten, een stenen tabakspot en een Oosterse koperen schaal, die een sinds lang niet gebruikte pijp bevatte. Er hingen verscheidene uitstekende etsen. De gordijnen waren rood en de vloer was bedekt met een degelijk Turks tapijt. Tegenover de schoorsteen stond een hoge mahoniehouten boekenkast met glazen deuren, waarin een aantal Engelse en Franse klassieken, een grote verzameling boeken over geschiedenis en internationale politiek. Onder het raam stond een groot bureau.

Parker schudde het hoofd, nam een stuk papier en begon een verslag te schrijven. Hij had om zeven uur met koffie en broodjes ontbeten; hij had een vermoeiend onderzoek in de woning ingesteld; hij had de concierge ondervraagd, de directeur van de Crédit Lyonnais en de prefect van politie van deze wijk. Het resultaat was zeer pover.

Inlichtingen verkregen uit de papieren van kapitein Cathcart:

Voor de oorlog moest Denis Cathcart ongetwijfeld een rijk man zijn geweest. Hij had aanzienlijke beleggingen in Rusland en Duitsland en een groot aandeel in een welvarende wijngaard in Champagne. Toen hij op 21-jarige leeftijd in het bezit van zijn vermogen kwam, had hij zijn driejarig verblijf in Cambridge afgesloten en vervolgens tamelijk veel gereisd. Bij het uitbreken van de oorlog ging hij in de officiersopleiding bij het 15e regiment - shires. Met behulp van het chequeboek reconstrueerde Parker heel het economische leven van een jonge Britse officier. De uitgaven waren bescheiden en gingen zijn inkomen niet te boven. Gekwiteerde rekeningen lagen keurig opgestapeld in een la van het bureau. Een nauwkeurige vergelijking van deze rekeningen met het chequeboek en de uitgeschreven cheques bracht geen verschillen aan de dag. Er schenen echter nog andere, zware eisen aan Cathcarts middelen te zijn gesteld. Beginnende met 1913 verschenen er ieder kwartaal grote cheques, betaalbaar aan hemzelf; soms waren ze met kortere tussenpozen uitgeschreven. Wat de bestemming van deze bedragen betrof, bewaarde het bureau de grootst mogelijke discretie; er waren geen kwitanties, geen memoranda betreffende de besteding. De grote slag, die de kredieten van de wereld in 1914 deed wankelen, werd op kleine schaal door het bankboekje weerspiegeld. Omstreeks 1918 was de toestand onhoudbaar geworden. Verschillende posten duidden op een wanhopige poging om de zaak in orde te brengen door in vreemde valuta's te gokken. Er waren aankopen via de bank van Duitse marken, Russische roebels en Roemeense lei.

Omtrent deze tijd onthulde Cathcarts bankboekje de storting van verscheidene contante bedragen, sommige groot, andere klein, op ongeregelde data en zonder een vaste lijn. In december 1919 bedroeg een van deze sommen niet minder dan 35.000 francs. Parker dacht eerst, dat deze bedragen dividenden konden zijn van afzonderlijke beleggingen, die Cathcart zelf behandelde, zonder ze aan de bank door te geven. Hij onderzocht de kamer nauwkeurig, in de hoop de stukken zelf te vinden, of althans het een of andere papier daaromtrent. Het onderzoek was echter tevergeefs en hij was gedwongen de conclusie te trekken, dat Cathcart ze óf op een geheime plaats had verstopt óf dat de desbetreffende posten een andere bron van inkomsten vertegenwoordigden.

Cathcart had het blijkbaar klaargespeeld, bijna onmiddellijk gedemobiliseerd te worden. Hij had een langdurige vakantie aan de Rivièra doorgebracht. Vervolgens viel een bezoek aan Londen samen met het verwerven van 700 pond, die, omgezet in francs tegen de toenmalige koers, een zeer eerbiedwaardige post op de rekening vormden. Van die tijd af vertoonden de uitgaven en inkomsten een zelfde aanblik en waren ongeveer in evenwicht, terwijl de cheques aan eigen order eerder hoger werden en talrijker, naarmate de tijd verstreek. In 1921 toonden de inkomsten uit de wijngaard ook tekenen van herstel.

Parker schreef al deze gegevens nauwkeurig op.

De inlichtingen, verkregen van de heer Turgeot, de directeur van de Crédit Lyonnais, bevestigden in ieder opzicht de gegevens van het bankboekje. Monsieur Cathcart had de laatste tijd al zijn betalingen in bankpapier verricht, meestal in kleine coupures. Een of twee maal had hij te veel opgenomen, nooit erg veel, en het was steeds binnen een paar maanden weer aangezuiverd. Zijn inkomen was natuurlijk achteruitgegaan, zoals met iedereen het geval was, maar de rekening had de bank nooit reden tot ongerustheid gegeven. Op het ogenblik stond er ongeveer 14.000 francs aan de goede kant. Monsieur Cathcart was altijd buitengewoon vriendelijk, maar niet mededeelzaam - *très correct*.

Inlichtingen verkregen van de concierge:

We zagen monsieur Cathcart niet veel, maar hij was *très gentil*. Hij ontving soms bezoek - heren in avondkleding. Ze hadden kaartavondjes. Monsieur Bourgois had nooit dames de weg gewezen naar zijn kamer; behalve één keer, in februari l.l., toen hij aan een paar dames, die zeer *comme il faut* waren, een koffiemaaltijd had aangeboden. Zij hadden zijn verloofde, *une très jolie blonde*, meegebracht. Monsieur Cathcart gebruikte de woning als *pied à terre*, sloot haar dikwijls en bleef dan weken of maanden weg. Hij was *un jeune homme très rangé*. Hij had nooit een knecht gehouden. Madame Leblanc, de nicht van Bourgois' overleden vrouw, had het *appartement* schoongehouden. Madame Leblanc was een keurige vrouw, maar natuurlijk kon monsieur het adres van madame Leblanc krijgen.

Inlichtingen verkregen van madame Leblanc:

Monsieur Cathcart was een charmante jongeman en het was erg prettig voor hem te werken. Hij was heel gul en stelde belang in de familie. Hij was niet altijd op zijn kamers; hij had de gewoonte haar te laten weten wanneer hij thuis zou komen. Dan ging zij de woning in orde brengen. Hij was erg netjes op zijn zaken. Monsieur Cathcart was altijd goed gekleed; hij was bijzonder op zijn bad gesteld; wat zijn toilet betrof, hij was net een vrouw.

Inlichtingen verkregen van monsieur de prefect van politie:

Volstrekt niets. Monsieur Cathcart had nooit in enig opzicht de aandacht van de politie getrokken. Wat de bedragen betrof, waarvan monsieur Parker melding maakte, als monsieur hem de nummers van enkele der bankbiljetten wilde geven, zou men een poging doen om na te gaan waar ze vandaan kwamen.

Waar was het geld gebleven? Parker kon zich slechts twee bestemmingen voorstellen - een ongeoorloofde verhouding of een afperser. Een knappe man als Cathcart kon makkelijk een paar vrouwen in zijn leven hebben, zelfs zonder medeweten van de concierge. Natuurlijk kon een man, die gewend was vals te spelen - indien hij al vals speelde - licht in de macht raken van iemand die te veel wist.

Er bleven echter nog een paar dingen duister voor Parker. Waarom zou die afperser op de heide van Yorkshire hebben rondgereden op een motor met zijspan? Van wie was de groenogige kat? Het was een kostbaar sieraad. Had Cathcart het aangeboden ter gedeeltelijke betaling? Dat leek al te dwaas. In dat geval zou de afperser het waarschijnlijk met verachting van zich af hebben geworpen. De kat was in het bezit van Parker. Hij bedacht dat het wel de moeite waard kon zijn om het door een juwelier te laten schatten. Maar de zijspan was een moeilijkheid, de kat was een moeilijkheid en lady Mary was de grootste moeilijkheid.

Waarom had lady Mary bij de lijkschouwing gelogen? Want dat ze gelogen had, daar twijfelde Parker niet aan. Hij geloofde niets van het hele verhaal omtrent het tweede schot dat haar wakker had gemaakt. En waarom was ze om 3 uur in de ochtend naar de deur van de serre gegaan? Van wie was die koffer - als het een koffer was - die verborgen had gelegen tussen de cactusplanten? Waarom deze langdurige zenuwinzinking, zonder bijzondere verschijnselen, die lady Mary belette om te getuigen voor de rechter, en de vragen van haar broer te beantwoorden? Zou lady Mary bij het gesprek in het bosje aanwezig zijn geweest? Als het zo was, zouden Wimsey en hij zeker haar voetafdrukken hebben gevonden. Speelde ze onder één hoedje met de afperser? Dat was een onplezierige gedachte. Poogde ze haar verloofde te helpen? Ze had een eigen inkomen, dat heel behoorlijk was - naar Parker van de hertogin had gehoord. Zou ze geprobeerd hebben, Cathcart met geld te helpen? Maar waarom zou ze dan niet alles vertellen wat ze wist? Het ergste feit omtrent Cathcart, aangenomen dat vals spelen het ergste feit was, was nu een publiek geheim en de man zelf was dood. Als zij de waarheid wist, waarom kwam zij er dan niet mee voor de dag om haar broer te redden?

Hierbij schoot hem een nog onplezieriger gedachte te binnen. Als het tenslotte niet Denver was geweest, die mevrouw Marchbanks in de bibliotheek had gehoord, maar iemand anders - iemand die ook een afspraak met de afperser had - iemand die aan zijn kant stond tegenover Cathcart - die wist dat er gevaar kon schuilen in het onderhoud. Had hij zelf wel voldoende aandacht geschonken aan het grasperk tussen het huis en het bosje? Had er donderdagochtend misschien hier en daar een vertrapt grassprietje aan het licht kunnen komen, dat door regen en dauw inmiddels weer rechtop was gaan staan? Hadden Peter en hij *alle* voetafdrukken in het bos gevonden? Had een meer vertrouwde hand het schot van nabij afgevuurd? Nogmaals - *van wie was de groenogige kat?*

Hij beëindigde zijn rapport, zette alles weer netjes op het bureau en ging naar het politiebureau om een afspraak te maken met de prefect, omtrent de sleutels en het aanbrengen der zegels. Het was nog vroeg in de avond en niet erg koud; hij besloot daarom zijn somberheid te verjagen met een *café-cognac* op de Boul' Mich'. Daarna zou hij een wandelingetje langs de Parijse winkels maken. Daar hij een vriendelijke, huiselijke natuur had, overwoog hij een Parijs souvenir voor zijn oudste zuster te kopen, die ongetrouwd was en een nogal triest leven leidde in Barrow-in-Furness. Parker wist dat zij zich roerend zou verheugen over een stukje ondergoed van heel dunne kant, dat niemand anders dan zijzelf ooit te zien zou krijgen. Hij besloot naar een echt Parijse winkel te zoeken en daar naar een camisole te vragen. Dan had hij alvast een begin en zou mademoiselle hem andere dingen laten zien, zonder dat hij haar verder iets hoefde te vragen.

En zo wandelde hij tegen zessen door de Rue de la Paix met een klein kartonnen doosje onder de arm. De straat was vol mensen, die langzaam langs de schitterende winkelramen drentelden. Parker bleef staan en keek achteloos naar een prachtige uitstalling van juwelen, alsof hij aarzelde tussen een paarlen halssnoer, dat voor 80.000 francs geprijsd was, en een hanger van diamant en aquamarijn, in platina gezet.

En daar, onheilspellend naar hem knipogend van onder een kaartje met 'bonne fortune' erop, hing een groenogige kat. De kat staarde naar Parker en Parker staarde naar de kat. Het was geen gewone kat. Het was een kat met een persoonlijkheid. Het kleine gebogen lichaam glinsterde van de diamanten. De dicht bij elkaar staande platina pootjes en de rechtop staande blinkende staart drukten in iedere lijn het zinnelijk genot uit van tegen het een of andere geliefkoosde voorwerp te schuren. Het lichtelijk schuin gehouden kopje scheen om een kittelende vinger onder de kin te vragen. Het was een klein kunstwerk van niet alledaagse allure. Parker zocht in zijn portefeuille. Hij keek van de kat in zijn hand naar de kat in de etalage. Ze waren gelijk. Parker stapte de winkel in.

'Ik heb hier een diamanten kat, die buitengewoon veel lijkt op een, die ik in uw etalage zie. Zoudt u zo goed willen zijn me te zeggen hoeveel zo'n kat waard is?'

'Natuurlijk, monsieur. De prijs van die kat is 5.000 francs. Hij is, zoals u ziet, van het mooiste materiaal gemaakt. Bovendien is het het werk van een kunstenaar. Het is meer waard dan de marktwaarde van de stenen.'

'Het is een mascotte, nietwaar?'

'Ja, monsieur; het brengt buitengewoon veel geluk, vooral bij het kaartspel. Vele dames kopen deze kleine dingen.'

'Zulke katten zijn zeker overal in Parijs te krijgen?'

'Welnee, monsieur. Als u nog zo'n kat wilt hebben,

raad ik u aan er gauw bij te zijn. Monsieur Briquet had maar twintig van deze katten om mee te beginnen en nu zijn er nog maar drie over, die in de etalage inbegrepen. Ik geloof dat hij ze niet meer maakt. Als je zo'n ding vaak herhaalt, maak je het te gewoon. Er komen natuurlijk wel andere katten . . .'

'Ik wil geen andere kat,' zei Parker met plotselinge belangstelling. 'Wilt u zeggen dat dergelijke katten alleen door monsieur Briquet verkocht worden en dat mijn kat uit zijn winkel afkomstig is?'

'Ongetwijfeld, monsieur.'

'Zou het misschien mogelijk zijn er achter te komen, aan wie deze kat indertijd is verkocht?'

'Als hij aan de toonbank verkocht en contant betaald is, zal het moeilijk gaan, maar als het in onze boeken voorkomt, zou het niet onmogelijk zijn om het na te gaan, als monsieur dat graag wil.'

'Ik wil het erg graag,' zei Parker, die zijn kaartje te voorschijn haalde.

'In dat geval,' zei de jongeman, 'is het het beste dat ik even met de patroon spreek.'

Hij nam het kaartje mee naar de ruimte achter de winkel en kwam even later terug met een gezette heer, die hij als monsieur Briquet voorstelde.

In het privé-kantoor van monsieur Briquet werden de boeken van de zaak te voorschijn gehaald en op de schrijftafel gelegd.

'U zult begrijpen, monsieur,' zei monsieur Briquet, 'dat ik u alleen naam en adres kan geven van die kopers van katten, die wij een rekening hebben gestuurd. Maar het is onwaarschijnlijk, dat een voorwerp van zoveel waarde contant is betaald, ofschoon zoiets bij rijke Angelsaksen wel voorkomt. We hoeven niet verder terug te gaan dan het begin van dit jaar, toen deze katten gemaakt zijn.'

Parker noteerde verschillende namen en adressen. Na een half uur zei monsieur Briquet op besliste toon:

'Dat is alles, monsieur. Hoeveel namen hebt u?'

'Dertien,' zei Parker.

'En we hebben nog drie katten in voorraad - het oorspronkelijke aantal was twintig - zodat er vier contant verkocht moeten zijn. Als monsieur de zaak wil controleren, kunnen we het journaal raadplegen.'

Het zoeken in het journaal duurde langer en was vermoeiender. Maar tenslotte werden de vier contant verkochte katten gevonden, op 31 januari, 6 februari, 17 mei en 9 augustus.

Parker was opgestaan en begon met een lange reeks complimenten en bedankjes, toen een plotselinge associatie van ideeën en data hem ertoe bracht, monsieur Briquet een foto van Cathcart te laten zien en hem te vragen, of hij hem herkende.

Monsieur Briquet schudde het hoofd.

'Ik weet zeker dat het geen vaste klant van ons is en ik heb een heel goed geheugen voor gezichten. Maar we zullen het mijn bedienden vragen.'

Het grootste deel van het personeel herkende de foto niet en Parker wou haar juist in zijn portefeuille doen, toen een jonge dame, die net een verlovingsring had verkocht, naderbij kwam en zonder aarzelen zei:

'*Mais oui, je l'ai vu, ce monsieur-là.* Dat is die Engelsman, die een diamanten kat voor de *jolie blonde* heeft gekocht.'

'Mademoiselle,' zei Parker opgewonden, 'ik smeek u mij het genoegen te doen heel precies na te gaan wat u zich ervan herinnert.'

'*Parfaitement,*' zei ze. 'Die heer kocht een diamanten kat en betaalde hem - nee, ik vergis me, de dame kocht hem en ik herinner me nu, dat het me verbaasde dat zij meteen in baar geld betaalde. De heer kocht ook iets. Hij kocht een diamanten en schildpadden kam voor de dame en toen zei zij, dat ze hem iets moest geven *pour porter bonheur* en vroeg mij naar een mascotte bij het kaartspel. Ik liet haar een paar juwelen zien, die meer geschikt waren voor een man, maar ze zag die kat en zei dat hij zo'n kat moest hebben en niets anders; ze was er zeker van dat het hem goeie kaarten zou bezorgen.'

'En hoe zag die dame er uit?'

'Blond, monsieur, en erg knap; nogal lang en slank en heel goed gekleed. Een grote hoed en een donkerblauw mantelpak. *Quoi encore? Voyons* - ja, ze was een buitenlandse.'

'Een Engelse?'

'Dat weet ik niet. Ze sprak uitstekend Frans.'

'In welke taal sprak ze met de heer?'

'Frans, monsieur. Ziet u, we spraken samen en ze vroegen mij telkens iets. Daardoor werd het hele gesprek in het Frans gevoerd. Natuurlijk ging ik een paar keer weg om dingen uit de etalage te halen en dan spraken ze samen; ik weet niet in wat voor taal.'

'Mademoiselle, kunt u me nu nog zeggen, hoelang dat geleden is?'

'*Ah, mon Dieu, ça c'est plus difficile. Monsieur sait que les jours se suivent et se ressemblent. Voyons.*'

'We kunnen in het journaal zien,' bracht monsieur Briquet in het midden, 'bij welke gelegenheid een diamanten kam en een diamanten kat verkocht werden.'

Op 6 februari lazen ze:

> *Peigne en écaille et diamants* ...... *f. 7.500*
> *Chat en diamants (Dessin C-5)* .... *f. 5.000*

'Daar hebben we het,' zei Parker somber.

'Monsieur lijkt niet tevreden,' sprak de juwelier.

'Monsieur,' zei Parker, 'ik ben u dankbaarder dan ik u zeggen kan voor uw buitengewone vriendelijkheid, maar ik geef eerlijk toe dat het wat mij betreft beter iedere andere maand van het jaar had kunnen zijn dan deze.'

Vervolgens keerde hij naar zijn bescheiden hotel terug, bestelde iets te drinken en zette zich neer om een brief aan lord Peter te schrijven. De slotalinea luidde:

Ik heb al deze dingen zonder commentaar voor je opgeschreven. Je zult je eigen gevolgtrekkingen kunnen maken, evengoed als ik, - beter hoop ik, want de mijne zijn ontstellend. Als je vindt dat ik hier aan het ploeteren moet blijven, zou je dan een foto van lady Mary te pakken kunnen krijgen en zo mogelijk achter de juiste feiten komen omtrent de diamanten kam en de groenogige kat - ook op welke datum in februari lady Mary in Parijs was ? Spreekt ze evengoed Frans als jij ? Laat me weten wat voor vorderingen je maakt.

Als steeds je
CHARLES PARKER

Hij herlas brief en rapport zorgvuldig en verzegelde ze. Toen schreef hij aan zijn zuster, maakte een keurig pakje en belde om de *valet de chambre*.

'Ik wil deze brief dadelijk verzonden hebben, aangetekend,' zei hij, 'en het pakje moet morgen als *colis postal* weggaan.'

Daarna ging hij naar bed.

Het antwoord van lord Peter kwam per kerende post:

Beste Charles, - Maak je niet bezorgd. Ik kan niet zeggen dat het aspect van de zaak mij erg plezierig aandoet, maar ik heb liever dat jij de zaak behandelt dan wie ook. Ga dus verder.

Ik sluit twee foto's in - alles wat ik voor het ogenblik te pakken kon krijgen. De ene in verpleegsterskostuum is nogal beroerd en de andere is helemaal wazig door een grote hoed.

Ik heb hier woensdag een verdomd vreemd avontuurtje meegemaakt, waarover ik je wel vertellen zal als we elkaar spreken. Ik heb een vrouw gevonden, die blijkbaar meer weet dan ze mag, en een zeer veelbelovende bruut - ik ben alleen bang dat hij een alibi heeft. Ik heb ook een vage aanwijzing inzake maat 10. In Northallerton is niet veel bijzonders gebeurd, behalve dat Jerry natuurlijk in staat van beschuldiging is gesteld. Mijn moeder is Goddank hier en ik hoop dat ze iets verstandigs uit Mary loskrijgt. Ik heb naar de kam en de kat laten vragen. M. zegt niets van de kat te weten, maar geeft toe dat er een diamanten kam in Parijs is gekocht - ze zegt dat ze hem zelf heeft gekocht. Het ding is in de stad, ik zal het halen en opsturen. Ze zegt zich niet te kunnen herinneren waar ze hem heeft gekocht, ze is de rekening kwijt, maar hij heeft niet zoiets als 7.500 francs gekost. Van 2 februari tot 20 februari was ze in Parijs. Mijn voornaamste werk is nu met Lubbock te gaan spreken en een kleine kwestie aangaande zilverzand op te helderen.

De rechtszitting is in de eerste week van november - dus eind volgende week. Dat verhaast de zaken een beetje, maar het hindert niet, omdat ze hem niet kunnen berechten; het enige wat erop aankomt is de grote jury,

*die in de eerste plaats een behoorlijke beschuldiging
moet vinden. Daarna kunnen we de zaak zolang slepen-
de houden als we willen. Het wordt een hoogst vervelende kwestie, een parlementszitting enzovoort. De oude
Biggs is vreselijk van streek onder zijn marmeren uiter-
lijk.*

*Hou je taai. Doe alsof je niet weet dat sommigen van
die mensen familie van mij zijn. Mijn moeder stuurt je
haar vriendelijkste groeten.*

De jouwe, in de broederschap van het opsporingswerk,
P. W.

Wij mogen wel meteen zeggen, dat de foto's volstrekt
geen overtuigend bewijs opleverden.

hoofdstuk 6

OP EEN DRUILERIGE MIDDAG, ongeveer twee weken later, belde Charles Parker in Londen aan op no 110 Piccadilly, Bunter deed de deur open en deelde hem met een vriendelijke glimlach mee, dat lord Peter even uit was, maar dadelijk terug zou zijn en of hij maar zo vriendelijk wilde zijn binnen te wachten.

'We zijn vanmorgen pas aangekomen,' voegde de knecht eraan toe. 'U neemt ons dus niet kwalijk, dat we nog niet helemaal op orde zijn, meneer? Hebt u misschien trek in een kop thee?'

Parker nam het aanbod aan en liet zich behaaglijk in een fauteuil zakken. Na de bijzonder ongemakkelijke Franse meubelen vond hij een ware troost in de goede veren onder zich, de kussens achter zijn hoofd en Wimseys uitstekende sigaret. Wat Bunter eigenlijk bedoelde met 'dat ze nog niet op orde waren', begreep hij niet. Een vrolijk houtvuur weerspiegelde in de vlekkeloze oppervlakte van een kleine zwarte vleugel; de zachte kalfsleren ruggen van lord Peters zeldzame uitgaven blonken licht tegen de zwarte en beige muren; de vazen waren gevuld met geelbruine chrysanten; de laatste edities van de kranten lagen op de tafel - alsof de eigenaar nooit weg geweest was.

Terwijl hij thee dronk haalde Parker de foto's van lady Mary en Denis Cathcart uit zijn borstzak. Hij zette ze tegen de theepot en staarde ernaar. Hij keek van de een naar de ander, als probeerde hij een bedoeling te persen uit hun vaag lachende, zelfingenomen blik. Hij liep zijn Parijse aantekeningen nog eens door en streepte verschillende dingen met potlood aan.

Zijn gedachtengang was bijzonder belangwekkend. Natuurlijk kon men in Parijs niet behoorlijk nadenken - het was er zo ongezellig en de huizen waren centraal verwarmd. Hier, waar zoveel problemen ontrafeld waren, was een behoorlijk vuur. Cathcart had ook bij een vuur gezeten. Natuurlijk, hij had over een probleem willen nadenken. Als katten bij het vuur zaten, dachten ze ook over problemen na. 'De kat van de glasblazer is bomp-vrij,' zei Parker hardop en duidelijk.

'Het doet me genoegen dat te horen,' antwoordde lord Peter met een vriendelijke grijns. 'Heb je een prettig tukje gedaan?'

'Hè? Wat?' zei Parker. 'Wat voor tukje? Ik was juist op een hoogst belangrijke gedachte gekomen en die heb jij verjaagd. Wat was het ook weer? Kat - kat - kat.'

'Je zei: "De kat van de glasblazer is bompvrij",' ant-woordde lord Peter. 'Dat is prachtig, maar ik snap niet wat je ermee bedoelt. Ben je net terug?'

'Ik ben gisteravond overgestoken. Is er wat nieuws?'

'Een heleboel.'

'Goed?'

'Nee. Het beste wat we kunnen doen,' zei Wimsey, 'is dat we de feiten onder de ogen zien, hoe afschuwelijk ze ook mogen zijn. Ik moet toegeven dat een gedeelte ervan een nogal griezelige indruk maakt.

'Mijn moeder is vrijdag in Riddlesdale verschenen. Ze is rechtstreeks naar boven gegaan en heeft zich van Mary meester gemaakt, terwijl ik in de hall rondhing en de kat plaagde en het iedereen lastig maakte. Je kent dat wel. Toen verscheen de ouwe dokter Thorpe. Ik ging op de kist op de overloop zitten. Er werd gebeld en Ellen kwam naar boven. Moeder en Thorpe kwamen de deur uit en vingen haar vlak voor Mary's kamer op. Ze smoes-den een hele tijd en toen rende moeder de gang door naar de badkamer met trippelende hakken en oorbellen die van opwinding dansten. Ik sloop ze na naar de bad-kamerdeur, maar ik kon niets zien, want ze stonden in de deuropening. Maar ik hoorde moeder zeggen: "Asje-blieft! wat heb ik je gezegd?"; en Ellen zei: "Hemel, wie zou dat gedacht hebben?"; en mijn moeder zei: "Ik kan alleen maar zeggen dat als ik op jullie moest vertrouwen om me ervoor te behoeden vermoord te worden met ar-senicum of dat andere goedje, zoiets als anemonen* - je weet wel wat ik bedoel - dan zou dr. Spilsbury nu al sectie op me verricht hebben."

*) antimoon.

84

'De ouwe Thorpe zette een eerbiedwaardig gezicht, maar moeder met haar veren overeind als een kleine kip, zei terwijl ze hem strak aankeek: "In mijn tijd noemden we dat soort dingen aanstellerij en ondeugendheid. Wij lieten ons niet zo door meisjes voor de gek houden. Ik vermoed dat u het neurose noemt of een verdrongen complex of een reflex en dat u het aankweekt. Dat kind had door u werkelijk ziek kunnen worden. Jullie zijn allemaal even belachelijk en jullie kunnen evenmin op jezelf passen als een stel kleine kinderen - hoewel er in de sloppen heel wat kleine kinderen zijn die voor hele families zorgen en meer verstand tonen dan jullie met z'n allen bij elkaar! Ik ben erg boos op Mary, dat ze zo'n drukte maakt! Je hoeft geen medelijden met haar te hebben?" Weet je,' zei Wimsey, 'er zit vaak iets in, als moeder iets zegt.'

'Dat geloof ik ook,' zei Parker.

'Ik heb moeder later aangeklampt en gevraagd waar het over ging. Ze zei dat Mary haar niets wou vertellen over haarzelf en haar ziekte; ze vroeg alleen of ze met rust gelaten kon worden. Toen kwam Thorpe erbij en sprak over een zenuwschok - hij zei dat hij die aanvallen van misselijkheid niet begreep en ook niet hoe het kwam dat Mary's temperatuur zo heftig op en neer ging. Moeder hoorde hem aan en zei tegen hem dat hij moest gaan kijken hoe hoog de temperatuur nu was. Hij deed het, maar middenin riep moeder hem weg naar de toilettafel. Aangezien ze, zoals je weet, een slimme vos is, hield ze haar ogen op de spiegel gericht en keerde zich net op tijd om, om Mary te betrappen, toen ze de thermometer op de beddekruik legde om het kwik een eind omhoog te jagen.'

'Wel, allemachtig!' zei Parker.

'Dat zei Thorpe ook. Het enige wat moeder zei was: "Als hij nu nog niet lang genoeg in het vak is om niet door zo'n truc overbluft te worden, heeft hij niet het recht om zich voor een eerbiedwaardige huisarts uit te geven." Toen vroeg ze Mary naar die aanvallen van misselijkheid - wanneer ze voorkwamen en hoe dikwijls, of het na de maaltijden of ervoor was enzovoort. Tenslotte kreeg ze eruit dat het meestal kort na het ontbijt gebeurde én een enkele keer op een andere tijd. Moeder zei dat ze er eerst niet uit wijs kon worden, omdat ze haar hele kamer al doorzocht had op flesjes en zo. Maar eindelijk vroeg ze wie het bed opmaakte, omdat ze dacht dat Mary iets onder de matras verstopt zou kunnen hebben. Toen zei Ellen dat zij het meestal opmaakte, terwijl Mary in het bad was. "Wanneer is dat?" vroeg moeder. "Vlak voor het ontbijt," zei het meisje. Toen gingen ze dus met z'n allen naar de badkamer. Daar stond rustig op het plankje tussen de badzouten, de zalfpotten, het Kruschenzout, de tandenborstels en andere spullen de huisfles met ipecacuanha - voor drie kwart leeg! Moeder zei - enfin, ik heb je al gezegd wat ze zei . . . In ieder geval, het is wel duidelijk van welke kant van de familie het detectiveinstinct afkomstig is. Dat heb ik haar trouwens gezegd en ze antwoordde met de volgende gedenkwaardige woorden: "Beste kind, je kunt er een lange naam aan geven, als je dat wilt, maar ik ben een ouderwetse vrouw en ík noem het gezond verstand. Het komt zo zelden voor dat een man het heeft, dat wanneer hij het heeft, jullie een boek over hem schrijven en hem Sherlock Holmes noemen." Maar afgezien daarvan zei ik tegen moeder (onder vier ogen natuurlijk): "Dat is allemaal goed en wel, maar ik geloof niet dat Mary al die moeite heeft gedaan om zich misselijk te maken en ons bang, alleen om een vertoning ten beste te geven. Zo'n type is ze zeker niet." Moeder keek me zo strak als een uil aan en haalde een hele reeks voorbeelden van hysterie aan. Wat iemand met gezond verstand over Mary te weten kan komen, dat weet mijn moeder. Ik heb haar alles verteld wat wij weten. Ze heeft het allemaal in zich opgenomen, op haar eigen grappige manier, weet je wel, zonder een direct antwoord te geven.'

'Wat denk je er eigenlijk zelf van?' vroeg Parker.

'Ik ben nog niet aan het onplezierigste deel van mijn verhaal toe gekomen,' zei Peter. 'Ik heb het net gehoord en het heeft me een behoorlijke schok gegeven, dat moet ik zeggen. Gisteren kreeg ik een brief van Lubbock, waarin hij vroeg wanneer hij me kon spreken. Daarom ben ik hier heen gekomen en vanmorgen bij hem aangegaan. Herinner je je dat ik hem een vlek op een van

Mary's rokken heb gestuurd, die Bunter voor me had afgeknipt? Ik had er zelf al een oog op geworpen en het stond me niet aan. Daarom heb ik het geval naar Lubbock gestuurd, *ex abundantia cautelae;* en het spijt me te moeten zeggen dat hij mijn vermoedens bevestigt. Het is mensenbloed, Charles, en het zou me alles behalve verwonderen als het van Cathcart was.'

'Eh - ik ben de draad een beetje kwijt.'

'Die vlek moet op de rok zijn gekomen op de dag dat Cathcart is - gestorven, want dat was de laatste dag waarop het gezelschap op de hei geweest was. Als die vlek er eerder had gezeten, zou Ellen hem schoongemaakt hebben. Later heeft Mary zich hardnekkig verzet tegen Ellens pogingen om de rok mee te nemen. Ze heeft een onhandige poging gedaan om hem zelf met zeep schoon te maken. Daarom geloof ik dat we kunnen concluderen dat Mary wist dat de vlekken er zaten en niet wilde dat ze ontdekt werden. Ze zei tegen Ellen dat het bloed van een korhoen was - wat een bewuste leugen moet zijn geweest.'

'Ik geloof niet,' zei Peter, 'dat iemand zo'n grote vlek mensenbloed op z'n kleren kan hebben, zonder te weten wat het is. Ze moet erin geknield hebben. Die vlek was wel vijf centimeter breed.'

Parker schudde mismoedig het hoofd en troostte zich met het maken van een notitie.

'Nou,' zei Peter, 'woensdagavond komt iedereen thuis en dineert en gaat naar bed, behalve Cathcart, die wegrent en wegblijft. Om elf uur vijftig hoort Hardraw, de jachtopziener, een schot, dat heel goed op de open plek afgevuurd kon zijn waar - laten we zeggen - het ongeluk plaatsvond. Het tijdstip klopt volgens het medisch onderzoek van half vijf, waarbij geconstateerd werd dat Cathcart al drie of vier uur dood was. Uitstekend. Om drie uur komt Jerry thuis, ergens vandaan, en vindt het lichaam. Als hij zich eroverheen buigt, komt Mary schijnbaar hoogst toevallig het huis uit met hoed, mantel en wandelschoenen. En nu haar verhaal. Zij zegt dat ze om drie uur wakker werd door een schot. Niemand anders heeft dat schot gehoord. In ieder geval, als dat het schot was, waardoor Cathcart is gedood, moet hij nauwelijks dood zijn geweest toen mijn broer hem vond - en nogmaals: hoe was er dan tijd geweest om hem van het bosje naar de serre te dragen.'

'Daar hebben we het al allemaal over gehad,' zei Parker met een uitdrukking van afschuw op zijn gezicht. 'We waren het erover eens, dat we geen enkel belang aan het verhaal over het schot konden hechten.'

'Ik ben bang dat we er veel belang aan moeten hechten,' zei lord Peter ernstig. 'Ik ga de tegenstrijdigheden in haar verhaal na. Ze zei dat ze geen alarm gemaakt had, omdat ze dacht dat het alleen maar stropers waren. Maar als het stropers waren, zou het onzinnig zijn geweest om naar beneden te gaan om een onderzoek in te stellen. Ze verklaart dat ze dacht dat het inbrekers konden zijn, maar hoe kleedt ze zich aan, als ze naar inbrekers gaat kijken? Wat zouden jij en ik gedaan hebben? Ik geloof dat we een kamerjas en zachte pantoffels hadden aangeschoten; en misschien een pook of een flinke stok hadden meegenomen. Maar geen wandelschoenen, een jas en een muts enzovoort! Je eerste gedachte is dat ze het huis binnenkomen en je bedoeling is om zachtjes naar beneden te sluipen en ze van de trap, of achter de eetkamerdeur te begluren. Maar zij loopt rechtstreeks naar de serre en treft het lijk aan, net alsof ze vooruit wist waar ze ze zoeken moest.'

Parker schudde het hoofd weer.

'Enfin, ze ziet Gerald gebogen over het lichaam van Cathcart. Wat zegt ze? Vraagt ze wat er aan de hand is? Vraagt ze wie het is? Ze roept: "O Gerald, je hebt hem vermoord!" en *dan* zegt ze, alsof ze zich bedenkt: "O, het is Denis! Wat is er gebeurd? Is er een ongeluk gebeurd?" Komt je dat natuurlijk voor?'

'Nee, maar het doet me vermoeden dat ze niet verwachtte Cathcart daar aan te treffen, maar een ander.'

'O ja? Ik krijg eerder de indruk dat ze net deed alsof ze niet wist wie het was. Eerst zegt ze: "Je hebt hem vermoord", en dan herinnert ze zich dat ze geacht wordt niet te weten wie het is en zegt: "O, het is Denis." En nu komt het bewijs dat jij opgediept hebt aan de beurt. Herinner je je wat mevrouw Pettigrew-Robinson in de trein tegen je heeft gezegd?'

'Bedoel je het slaan van die deur op de overloop?'

'Ja. En nu zal ik je iets vertellen, dat mij een paar ochtenden geleden is overkomen. Ik stormde op mijn gewone nogal onbesuisde manier de badkamer uit, toen ik me flink stootte aan die oude kist op de gang. Het deksel ging omhoog en sloeg met een klap weer dicht. Dat bracht me op het idee om er eens in te kijken. Ik lichtte het deksel op en bekeek net een paar lakens en andere dingen die opgevouwen op de bodem lagen, toen ik een soort gehijg hoorde. Daar stond Mary me aan te staren, zo bleek als een geest. Ik schrok me naar, maar niet zo erg als zij. Ze wou niets tegen me zeggen en deed hysterisch, zodat ik haar in haar kamer terugduwde. Maar ik had iets gezien op die lakens.'

'Wat?'

'Zilverzand.'

'En dat zat ook in de kist?'

'Ja. Wacht even. Na het geluid dat mevrouw Pettigrew-Robinson hoorde, maakte Mary Freddy wakker en toen de Pettigrew-Robinsons. En wat toen?'

'Toen sloot ze zich op in haar kamer.'

'Ja. En kort daarop kwam ze naar beneden en voegde zich bij de anderen in de serre. Iedereen herinnert zich gezien te hebben dat ze op dat ogenblik een mantel aan had en een muts op en dat ze onder haar pyjama wandelschoenen droeg.'

'Wil je daarmee zeggen,' zei Parker, 'dat lady Mary om drie uur al wakker en aangekleed was? En dat ze door de serredeur met haar koffer naar buiten is gegaan in de verwachting de - moordenaar van haar - te ontmoeten?'

'Zover hoeven we niet te gaan,' zei Peter.

'Ze ging dus blijkbaar uit om iemand te ontmoeten.'

'Zullen we voorlopig zeggen dat ze maat 10 wilde ontmoeten?' opperde Wimsey zacht.

'Ik geloof dat er niets anders opzit. Toen ze haar zaklantaarn aandeed en de hertog over Cathcart gebogen zag staan, dacht ze - Wimsey, ik krijg tenslotte toch gelijk! Toen ze zei, "Je hebt hem vermoord!" bedoelde ze maat 10. Ze dacht dat het het lichaam van maat 10 was.'

'Natuurlijk,' riep Wimsey, 'ik ben een ezel! Ja. Maar

wat deed ze inmiddels met die koffer?'

'Ik begrijp er nu alles van,' riep Parker uit. 'Toen ze zag dat het niet het lichaam van maat 10 was, begreep ze dat maat 10 de moordenaar moest zijn, dus was het haar bedoeling te voorkomen dat iemand wist dat maat 10 er geweest was. Daarom duwde ze de koffer achter de cacteeën. Toen ze naar boven ging, haalde ze hem er weer achter vandaan en verstopte hem in de eiken kist op de overloop. Ze kon hem natuurlijk niet mee naar haar kamer nemen, want als iemand haar naar boven had horen gaan, zou het vreemd zijn geweest, dat ze naar haar eigen kamer ging voor ze de anderen riep. Toen maakte ze Arbuthnot wakker en de Pettigrew-Robinsons - dan stond zij in het donker en de anderen zouden te opgewonden zijn om precies te zien wat ze aan had. Daarna ontvluchtte ze mevrouw P., rende haar kamer in, trok de rok uit, waarin ze bij Cathcart geknield had, en ook haar andere kleren, deed haar pyjama aan en zette de muts op, die iemand had kunnen opvallen. Ze deed ook haar mantel aan, die ze gezien *moesten* hebben, en de schoenen die waarschijnlijk afdrukken hadden achtergelaten. Toen kon ze zich beneden vertonen. Ondertussen had ze het verhaal van de inbreker verzonnen, om aan de coroner te vertellen.'

'Zo is het ongeveer,' zei Peter. 'Ik vermoed dat ze er zo op gebrand was om ons van het spoor van maat 10 af te brengen, dat ze er helemaal niet aan dacht, dat haar verhaal haar broer verdacht zou maken.'

'En toen ze ontdekte dat ze maat 10 beschermde en daarmee haar broer aan de galg hielp, verloor ze het hoofd, ging naar bed en weigerde verder te getuigen.'

'Maar we zijn er nog lang niet. Waarom is zij twee handen op één buik met maat 10, die in ieder geval een afperser is, zo geen moordenaar? Hoe kwam de revolver van Gerald op het toneel? En de groenogige kat? Wat wist Mary van de afspraak tussen maat 10 en Denis Cathcart?'

Op dit ogenblik kwam Bunter met een telegram voor Wimsey binnen. Lord Peter las het volgende voor:

'*Gezochte in Londen op het spoor; vrijdag, Marylebone*

gezien. Verdere inlichtingen bij Scotland Yard. - Politie-
commissaris Gosling, Ripley.'

'Een reuzekerel!' riep Wimsey. 'Nou zijn we op de goeie weg. Blijf jij hier voor het geval dat er iets komt opdagen. Ik ga direct naar Scotland Yard. Je krijgt wat te eten. Zeg tegen Bunter dat hij je een fles Château Yquem brengt. Tot straks.'

Hij rende de woning uit. Een ogenblik later zoemde zijn taxi langs Piccadilly.

hoofdstuk 7

PARKER WACHTTE URENLANG op de terugkeer van zijn vriend. Telkens nam hij de zaak-Riddlesdale door, hier notities schrappend en daar ze aanvullend. Hij beulde zijn vermoeide hersens met de meest fantastische veronderstellingen af. Hij dwaalde door de kamer, nam af en toe een boek van de planken. Tenslotte koos hij een deel uit de criminologische afdeling van de boekenplanken en dwong zich tot een aandachtige lezing van het allerboeiendste en dramatische vergiftigingsgeval, het proces-Seddon. Met een schok van verbazing keek hij op, toen de straatbel lang en luid overging. Hij ontdekte dat het al ver na middernacht was.

Zijn eerste gedachte was dat Wimsey zijn sleutel had vergeten. Hij had al een spottende begroeting op de lippen, toen de deur openging - en een lange, mooie jonge vrouw binnentrad, die in buitengewoon zenuwachtige toestand verkeerde. Zij had een krans van gouden haar, violette ogen en haar kleding was volkomen in wanorde; want toen ze haar zware reismantel opende, zag hij dat ze een avondtoilet droeg met lichtgroene zijden kousen en zware wandelschoenen, dik onder de modder.

'Zijn lordschap is nog niet terug, my lady,' zei Bunter, 'maar meneer Parker wacht hier op hem en we verwachten hem nu ieder ogenblik. Wilt u iets gebruiken?'

'Nee, nee,' zei de verschijning haastig, 'niets, dank je wel, ik zal wel wachten. Goeie avond, meneer Parker. Waar zit Peter?'

'Hij is weggeroepen, lady Mary,' zei Parker. 'Ik begrijp niet waarom hij nog niet terug is. Gaat u toch zitten.'

'Waar is hij naar toe?'

'Naar Scotland Yard; hij is er om een uur of zes heen gegaan.'

Lady Mary maakte een gebaar van wanhoop.

'Ik wist het. O, meneer Parker, wat moet ik toch doen? Ik móét Peter spreken. Het is een levenskwestie. Kunt u hem niet laten halen? Hij doet iets vreselijks, hij is helemaal abuis. Ach, wat is het toch een verschrikkelijke toestand!'

Zij lachte luid en barstte in tranen uit.

'Lady Mary, ik smeek u, doet u dat toch niet,' riep Parker angstig uit. 'U wordt ziek als u zo huilt.' Als het huilen is, voegde hij er voor zichzelf twijfelend aan toe. Het klinkt als de hik. 'Bunter!'

Bunter was niet ver uit de buurt. Hij stond zelfs vlak achter de deur, met een dienblaadje. Met een eerbiedig: 'Staat u mij toe, meneer' ging hij naar de zich in bochten wringende lady Mary en hield haar een klein flesje onder de neus. Het resultaat was verbazingwekkend. De patiënte hoestte drie of vier maal geweldig en zat meteen woedend rechtop.

'Hoe durf je, Bunter?' zei lady Mary. 'Ga onmiddellijk weg!'

'Het zou goed zijn als u nu een slok cognac nam,' zei Bunter, terwijl hij de kurk weer op de reukfles deed. 'Hebt u onderweg gegeten? Nee? Het is zeer onverstandig, my lady, zo'n lange reis met een lege maag te ondernemen. Ik zal zo vrij zijn een omelet voor u te laten komen. Misschien hebt u ook trek in een hapje van 't een of ander, meneer, omdat het al zo laat is.'

'Wat je maar wilt,' zei Parker, terwijl hij hem haastig wegwuifde. 'Voelt u zich nu niet beter, lady Mary? Laat me u helpen uw mantel uit te doen.'

Er werd niets opwindends meer gezegd, eer de omelet opgegeten was en lady Mary behaaglijk op de bank was geïnstalleerd. Ze had nu haar houding teruggevonden.

'Het spijt me dat ik me zojuist zo dwaas heb gedragen, meneer Parker,' zei ze, terwijl ze hem met bekoorlijke openhartigheid en vertrouwelijkheid aankeek, 'maar ik was zo ontzettend van streek en ik ben hals over kop van Riddlesdale gekomen.'

'Dat betekent niets,' zei Parker vaag. 'Kan ik iets voor u doen, nu uw broer er niet is?'

'Ik geloof dat u en Peter alles samen doen, nietwaar?'

'Ik mag wel zeggen dat geen van ons beiden iets over dit onderzoek weet, dat hij de ander niet heeft verteld.'

'Dus ik kan het net zo goed aan u vertellen?'

'Net zo goed. Als u er tenminste toe kunt komen mij met uw vertrouwen te vereren . . .'

'Wacht even, meneer Parker. Kunt u me ook vertellen hoever u bent - wat u ontdekt hebt?'

Parker was een beetje beduusd.

'Ik ben bang,' zei hij, 'dat ik u dat niet precies kan zeggen. Weet u, we beschikken voor een groot deel alleen nog maar over vermoedens. Maar als u ons iets te vertellen hebt, dat licht in de zaak brengt, verzoek ik u te spreken.'

'Wat wilt u weten?' vroeg ze eensklaps.

Hij deed zijn notitieboekje open. Toen hij haar begon te ondervragen, verdween zijn zenuwachtigheid; de ambtenaar werd zichzelf weer.

'Bent u in februari in Parijs geweest?'

Lady Mary bevestigde het.

'Herinnert u zich dat u met kapitein Cathcart - o (u spreekt toch Frans?)'

'Ja, vloeiend.'

'Juist. Nu, herinnert u zich dan dat u met kapitein Cathcart op 6 februari naar een juwelier in de Rue de la Paix bent gegaan en daar gekocht hebt, of hij daar voor u gekocht heeft, een schildpadden kam, met diamanten bezet, en een diamanten en platina kat met ogen van smaragd?'

'Is dat de kat waarnaar u in Riddlesdale geïnformeerd hebt?' vroeg ze. 'Hij is in het bosje gevonden, hè?'

'Had u hem verloren? Of was hij van Cathcart?'

'Als ik zeg dat hij van hem was -'

'Dan zou ik u geloven. Maar was hij van hem?'

'Nee.' - Ze haalde diep adem - 'Hij was van mij.'

'Wanneer hebt u hem verloren?'

'Die zelfde nacht.'

'Waar?'

'Ik denk in het bosje. Of waar u hem ook gevonden mag hebben. Ik heb hem pas later gemist.'

'Is dat die u in Parijs hebt gekocht?'

'Ja.'

'Waarom hebt u eerst gezegd dat hij niet van u was?'

'Ik was bang.'

'En nu?'

'Ik zal de waarheid zeggen.'

'Heel goed,' zei Parker, 'daar zijn we blij om, want ik geloof dat er bij het onderzoek twee of drie punten waren, die u niet naar waarheid hebt beantwoord. Is het niet zo?'

'Ja.'

'Dus, lady Mary, dat over dat schot om drie uur was niet waar, hè?'

'Nee.'

'Hebt u eigenlijk een schot gehoord?'

'Ja.'

'Wanneer?'

'Om tien voor twaalf.'

'Wat hebt u toen achter de planten in de serre verstopt, lady Mary?'

'Ik heb er niets verstopt.'

'En in de eiken kist op de overloop?'

'Mijn rok.'

'U ging naar buiten - waarom? Om Cathcart te ontmoeten?'

'Ja.'

'En wie was die andere man?'

'Welke andere man?'

'Die andere man, in het bosje. Een lange blonde man in een regenjas.'

'Er was geen andere man.'

'Neem me niet kwalijk, lady Mary. We hebben zijn voetafdrukken gezien, van het bosje tot aan de serre.'

'Dat moet een zwerver zijn geweest, ik weet er niets van.'

'Maar we hebben het bewijs dat hij er was - en wat hij deed en hoe hij weg is gekomen. Terwille van uw broer, lady Mary, zeg ons de waarheid - want die man in die regenjas is degene die Cathcart doodgeschoten heeft.'

'Nee,' zei het meisje met bleek gelaat. 'Dat is onmogelijk.'

'Waarom onmogelijk?'

'Ik zelf heb Denis Cathcart doodgeschoten.'

'Zo staat de zaak er dus voor, lord Peter,' zei het hoofd van Scotland Yard, terwijl hij van zijn bureau opstond, met een vriendelijk afscheidsgebaar. 'Er bestaat geen twijfel dat de man vrijdagochtend in Marylebone is gezien. Ofschoon we hem voor het ogenblik helaas uit het oog hebben verloren, ben ik er zeker van dat we hem binnenkort te pakken krijgen. De vertraging is te wijten aan de betreurenswaardige ziekte van de portier Morrison, wiens getuigenis van zoveel gewicht is geweest. Maar we verspillen nu geen tijd.'

'Ik weet zeker dat ik de zaak vol vertrouwen aan u kan overlaten, sir Andrew,' antwoordde Wimsey, terwijl hij hem vriendschappelijk de hand drukte.

'Mocht u de man inmiddels zelf tegen het lijf lopen,' zei sir Andrew Mackenzie, 'laat u het ons dan weten. Ik had Parker vanmorgen hier om verslag uit te brengen en hij scheen een beetje onvoldaan.'

'Hij heeft een heleboel ondankbaar routinewerk verricht,' zei Wimsey, 'en zich al met al gedragen als de prettige, betrouwbare man die hij altijd is geweest. Nu, tot ziens, sir Andrew.'

Hij merkte dat zijn onderhoud met sir Andrew Mackenzie een paar uur in beslag had genomen en dat het bijna acht uur was. Hij vroeg zich juist af waar hij zou gaan dineren, toen hij werd aangehouden door een opgewekte jonge vrouw met rood polkahaar, gekleed in een korte geruite rok, een kleurige jumper, een ribfluwelen jasje en een zwierige, groenfluwelen baret.

'Nee maar,' zei de jonge vrouw, terwijl zij een welgevormde, ongehandschoende hand uitstak, 'daar heb je lord Peter Wimsey. Hoe gaat het ermee? En hoe maakt Mary het?'

'Waarachtig!' zei Wimsey galant, 'juffrouw Tarrant. Wat leuk u weer eens te zien. Dank u, het is met Mary niet zo goed als het wel kon - ze zit in de put over die moordzaak.'

'Ja, natuurlijk,' antwoordde juffrouw Tarrant gretig, 'en als goed socialiste kan ik me alleen maar verheugen als een lid van het Hogerhuis wordt opgepakt. Maar nou ja, ik had liever gehad dat het de broer van iemand anders was. Mary en ik waren geweldige vriendinnen.'

'Zoudt u mij misschien wel de eer willen doen met mij mee te gaan en ergens wat te eten.'

'O, dat zou ik graag doen,' riep juffrouw Tarrant met geweldige energie uit, 'maar ik heb beloofd dat ik vanavond op de club zou komen. Er is om negen uur een vergadering. Coke - de Labour-leider - houdt een rede over de bekering van leger en vloot tot het communisme. We verwachten een overval en er komt een grote spionnenjacht, eer we beginnen. Maar gaat u toch mee en dineert u daar met me.'

Peter bedacht dat het diner in de club meer dan afschuwelijk zou zijn en was juist bezig een excuus te verzinnen, toen hem te binnen schoot, dat juffrouw Tarrant misschien in staat was hem een behoorlijk aantal dingen te vertellen, die hij niet wist, en eigenlijk moest weten, omtrent zijn eigen zuster. Daarom uitte hij in plaats van een beleefde weigering een beleefde aanvaarding en ging achter juffrouw Tarrant aan, die hem in roekeloze vaart door een aantal smerige steegjes naar Gerrard Street bracht, waar een oranje deur, geflankeerd door ramen met helrode gordijnen, de club afdoende aanduidde.

Juffrouw Tarrant wist plaatsen te krijgen aan een nogal rommelige tafel vlak bij het dienluik. Peter wrong zich met enige moeite naast een heel grote man met krullend haar en een fluwelen jas, die ernstig converseerde met een magere, vurige jonge vrouw in een Russische blouse, Venetiaanse kralen, een Hongaarse sjaal en een Spaanse kam, waardoor ze er uitzag als de personificatie van het Verenigd Front van de Internationale.

Lord Peter streefde ernaar zijn gastvrouw te behagen door een vraag omtrent de grote meneer Coke te stellen, maar een zenuwachtig 'Sst!' snoerde hem de mond.

'Zegt u dat alstublieft niet zo luid,' zei juffrouw Tarrant, terwijl ze zover vooroverboog, tot haar kastanjebruine haardos letterlijk zijn wenkbrauwen kittelde. 'Het is zo vreselijk geheim.'

'Het spijt me ontzettend,' zei Wimsey verontschuldigend. 'Maar weet u wel dat u die mooie kraaltjes van u in de soep doopt?'

'O hemel!' riep juffrouw Tarrant uit, terwijl ze snel overeind schoot. 'Dank u wel, hoor. En ze geven nog wel af. Ik hoop dat het geen arsenicum of zo iets is.'

Toen, weer voorover geleund, fluisterde ze hees:

'Dat meisje naast me is Erica Heath-Warburton - de schrijfster, u weet wel.'

Wimsey keek met een nieuw soort eerbied naar de dame in de Russische blouse. Slechts weinig boeken waren in staat hem een blos op de kaken te brengen, maar hij herinnerde zich dat een der boeken van juffrouw Heath-Warburton erin was geslaagd.

Lord Peter hoorde dat juffrouw Tarrant iets over Mary zei.

'We missen uw zuster erg' zei ze. 'Haar heerlijk enthousiasme. Ze sprak zo goed op vergaderingen. Ze leefde zo echt met de werker mee.'

'Dat komt me nogal verwonderlijk voor,' zei Wimsey, 'aangezien Mary nooit een steek heeft hoeven uit te voeren.'

'O,' riep juffrouw Tarrant uit, 'maar ze heeft wel gewerkt. Ze werkte voor ons. Voortreffelijk! Ze is bijna zes maanden secretaresse van onze propaganda-vereniging geweest. En ze werkte ook zo hard voor meneer Goyles. Om maar niet te spreken over haar verpleegsterswerk in de oorlog.'

'Wie is meneer Goyles?'

'O, een van onze voornaamste sprekers - nog heel jong, maar de regering is heus bang voor hem. Ik denk dat hij vanavond hier komt. Hij heeft een lezing in het noorden gehouden, maar ik geloof dat hij nu terug is. Het verbaast me dat Mary u nooit iets over meneer Goyles heeft verteld. Ze gingen een tijdje geleden erg vriendschappelijk met elkaar om. Iedereen dacht dat ze met hem zou trouwen - maar er schijnt iets tussen te zijn gekomen. En toen is uw zuster uit de stad vertrokken. Weet u ervan?'

'O, was dat die man? Ja - nou, mijn familie zag het zo gauw niet gebeuren, weet u. Ze vonden meneer Goyles niet helemaal de schoonzoon, waarmee ze het zouden kunnen vinden. Familieruzie enzovoort. Ik was er zelf niet bij.'

'Een nieuw voorbeeld van de absurde, ouderwetse ouderlijke tirannie,' zei juffrouw Tarrant vurig. 'Je zou het niet meer mogelijk achten - na de oorlog.'

'Ik weet niet,' zei Wimsey, 'of men het wel zo mag

noemen. Het waren niet bepaald de ouders. Mijn moeder is een merkwaardige vrouw. Ik geloof niet dat ze tussenbeide is gekomen. Ik geloof zelfs dat ze meneer Goyles in Denver wilde inviteren. Maar mijn broer zette zijn voet dwars.'

'Ik kan niet begrijpen, waarom het voor Mary enig verschil zou hebben gemaakt,' hield juffrouw Tarrant treurig vol. 'Ze wou graag arbeidster zijn. We hebben eens acht weken in een arbeidershuisje proberen te leven, met ons vijven, van achttien shilling per week. Het was een verrukkelijke ervaring - vlak aan de rand van het Nieuwe Woud.'

'In de winter?'

'H'm nee - we vonden het beter niet in de winter te beginnen. Maar we hadden negen dagen nat weer en de keukenschoorsteen rookte voortdurend. Het hout kwam uit het bos; daardoor was het helemaal nat, ziet u.'

'Ja, ik begrijp het. Het moet zeldzaam interessant zijn geweest.'

'Het was een ervaring die ik nooit zal vergeten,' zei juffrouw Tarrant. 'Zullen we koffie drinken? We zullen hem zelf moeten halen als u 't niet erg vindt. De meisjes brengen na het diner niets naar boven.'

Juffrouw Tarrant betaalde haar rekening, kwam terug en duwde hem een kop koffie in de hand.

Toen zij opdoken uit het souterrain, botsten ze bijna met een jonge man met blond haar, die naar brieven zocht in een kleine donkere rij vakjes. Toen hij niets vond, trok hij zich in de conversatiezaal terug. Juffrouw Tarrant slaakte een kreet van genoegen.

'Nee maar, daar heb je meneer Goyles,' riep ze uit.

Wimsey keek in de aangeduide richting. Toen hij de lange ietwat gebogen gestalte met de verwarde blonde haren en de in een handschoen gestoken rechterhand zag kon hij een lichte kreet niet onderdrukken.

'Wilt u me niet voorstellen?' vroeg hij.

'Ik zal hem halen,' zei juffrouw Tarrant. Ze liep de zaal door en sprak de jeugdige agitator aan, die schrok, naar Wimsey keek en het hoofd schudde. Het leek of hij zich verontschuldigde, hij keek snel op zijn horloge en schoot naar de uitgang. Wimsey rende hem achterna.

'Merkwaardig,' zei juffrouw Tarrant met verbaasd gezicht. 'Hij zegt dat hij een afspraak heeft - maar hij kan toch niet verzuimen . . .'

'Pardon,' zei Peter. Hij vloog naar buiten, net op tijd om een donkere gestalte de straat te zien oversteken. Hij er achteraan. De man zette het op een lopen en scheen te verdwijnen in een donker straatje, dat op Charing Cross Road uitkwam. Terwijl hij hem naderde, werd Wimsey bijna verblind door een lichtflits en een golf rook, pal in zijn gezicht. Een geweldige klap op zijn linkerschouder en een oorverdovende knal. Toen vervaagde de omgeving. Hij struikelde en zakte op een tweedehands ijzeren ledikant in elkaar.

hoofdstuk 8

PARKERS EERSTE OPWELLING WAS aan zijn eigen verstand te twijfelen; zijn tweede aan dat van lady Mary. Toen hij weer helder kon denken, kwam hij tot de conclusie dat zij eenvoudig niet de waarheid sprak.

'Kom, lady Mary,' zei hij bemoedigend, maar op enigszins berispende toon, alsof hij tegen een kind met te veel fantasie sprak. 'U verwacht toch niet dat we dat geloven?'

'Maar u moet het geloven,' zei het meisje ernstig, 'want het is zo.'

Parker stond op en ijsbeerde door de kamer.

'U hebt me in een vreselijke situatie gebracht, lady Mary,' zei hij. 'Kijk, ik ben politieambtenaar. Ik had geen idee -'

'Dat doet er niet toe,' zei lady Mary. 'U moet me natuurlijk arresteren of zoiets. Daarvoor ben ik gekomen. Maar ik zou graag eerst een en ander uitleggen. Dat had ik natuurlijk al lang moeten doen, maar ik geloof dat ik m'n hoofd kwijt was. Ik besefte niet dat Gerald erop aangezien zou worden. Ik hoopte dat ze het voor zelfmoord zouden houden. Kan ik nu tegenover u een verklaring afleggen of moet ik dat op het politiebureau doen?'

'Nee,' zei Parker, terwijl hij plotseling ophield met ijsberen en naast haar ging zitten. 'Nee, het is onmogelijk, absurd.' Hij nam eensklaps de hand van het meisje in de zijne. 'Niets kan me ervan overtuigen,' zei hij, 'het is absurd. Het is niets voor u. U liegt me voor. Uit edele motieven, dat weet ik wel; maar dat is het niet waard, geen enkele man is dat waard. Laat hem lopen, ik smeek u: laat hem lopen. Zegt u de waarheid. Beschermt u die man niet. Als hij Denis Cathcart heeft vermoord . . .'

'Nee!' Het meisje sprong op en rukte haar hand los. 'Er was geen andere man. Hoe durft u dat te zeggen! Ik heb Denis Cathcart vermoord, zeg ik u, en u moet me geloven. Ik zweer u dat er geen andere man was.'

Parker haalde zijn notitieboekje voor de dag.

'Gaat u verder,' zei hij.

'Op de avond van woensdag, 13 oktober, ging ik om half tien naar boven. Ik ging een brief zitten schrijven. Om kwart over tien hoorde ik mijn broer en Denis op de gang ruziën. Ik hoorde dat mijn broer Denis een valse speler en een bedrieger noemde en tegen hem zei dat hij nooit meer een woord tegen mij mocht zeggen. Ik hoorde Denis naar buiten gaan. Ik luisterde een poosje, maar hoorde hem niet terugkomen. Om half twaalf werd ik ongerust. Ik verkleedde me en ging naar buiten om te proberen Denis te vinden en hem mee naar binnen te nemen. Ik was bang dat hij een wanhoopsdaad zou begaan. Na een poosje vond ik hem in het bosje. Ik vroeg hem binnen te komen. Hij weigerde en vertelde me over de beschuldiging van mijn broer en de ruzie. Hij zei dat het geen zin had iets tegen te spreken, omdat Gerald vastbesloten was hem te gronde te richten. Hij vroeg me om met hem weg te gaan, met hem te trouwen en op het vasteland te gaan wonen. Het verbaasde me dat hij onder deze omstandigheden zoiets voorstelde. Ik zei: kom nu maar binnen. Hij leek wel gek. Hij trok een pistool en zei dat hij er een eind aan zou maken. Zijn leven was verwoest en wij waren een stelletje huichelaars en ik had nooit iets om hem gegeven, want anders had het mij niet kunnen schelen, wat hij had uitgevoerd. Als ik niet met hem meeging, was alles uit. En aangezien hij er toch aan zou gaan, zou hij mij en zichzelf doodschieten. Ik geloof dat hij volkomen buiten zinnen was. Hij zwaaide met de revolver; ik greep zijn hand; we worstelden; ik kreeg de loop pal op zijn borst en - ik haalde de trekker over of de revolver ging vanzelf af, dat weet ik niet precies. Het ging allemaal zo razend vlug. Hij was nog niet dood. Ik hielp hem opstaan. We strompelden tot vlak bij het huis. Eenmaal viel hij . . .'

'Waarom liet u hem niet liggen,' vroeg Parker, 'en rende het huis in om hulp te halen?'

Lady Mary aarzelde.

'Dat kwam niet bij me op. Het was een nachtmerrie. Ik dacht er alleen maar aan, hoe ik hem mee kon krijgen. Ik geloof - *dat ik hoopte dat hij zou sterven.*'

Er viel een zware stilte.

'Hij stierf inderdaad. Hij stierf voor de deur. Ik liep de serre in en ging zitten. Ik bleef daar uren en probeerde na te denken. Ik haatte hem omdat hij een bedrieger en een schurk was. Ik was blij dat hij dood was. Ik moet daar uren hebben gezeten zonder één samenhangende gedachte. Pas toen mijn broer er aankwam, besefte ik wat ik gedaan had en dat ik ervan verdacht zou kunnen worden, hem vermoord te hebben. U weet dat ik dat heb gedaan.'

'Maar waarom, lady Mary,' zei Parker toonloos, 'waarom hebt u tegen uw broer gezegd: "O Gerald, je hebt hem vermoord?" '

Opnieuw een aarzeling.

'Dat heb ik nooit gezegd.'

'U hebt die woorden bij het onderzoek toegegeven?'

'Ja . . . Inmiddels had ik besloten dat ik er een inbraak van zou maken, ziet u.'

De telefoon belde en Parker ging naar het toestel. Er klonk een fijn stemmetje door de draad.

'Spreek ik met Piccadilly 110? Hier is het Charing Cross Ziekenhuis. Er is vanavond een man binnengebracht, die zegt dat hij lord Peter Wimsey is. Hij is in zijn schouder geschoten en op zijn hoofd gevallen. Hij is net bijgekomen. Hij werd om kwart over negen binnengebracht. Nee, het zal nu wel goed met hem gaan. Ja, natuurlijk kunt u komen.'

'Ze hebben op Peter geschoten,' zei Parker. 'Gaat u met me mee naar het Charing Cross Ziekenhuis? Ze zeggen dat hij buiten gevaar is, maar toch -'

'O, vlug, vlug!' riep lady Mary.

De detective en het meisje renden de gang door, alarmeerden Bunter, snelden Pall Mall op en namen een eenzame taxi by Hyde Park Corner. Als razend reden ze weg door de verlaten straten.

hoofdstuk 9

DE VOLGENDE MORGEN zaten er in de woning van lord Peter vier mensen aan een zeer laat ontbijt of een vroege lunch. Lord Peter, die op de sofa lag, omringd door kussens en thee en geroosterd brood verzwelgend, was ongetwijfeld de opgewektste van het gezelschap, ondanks een kloppende schouder en barstende hoofdpijn. Nadat hij met een ziekenauto thuis was gebracht, was hij dadelijk in een verkwikkende slaap gevallen. Toen hij om negen uur wakker werd, was hij volkomen helder. Parker was naar Scotland Yard gestuurd. Hier had hij de daartoe bestemde machinerie in werking gesteld om de sluipmoordenaar van lord Peter te pakken. 'Zeg alleen niets over die aanval op mij,' zei lord Peter. 'Zeg dat hij moet worden aangehouden in verband met de zaak-Riddlesdale. Dat is voldoende voor ze.' Het was nu elf uur en Parker was terug, somber en hongerig. Hij gebruikte een late omelet en een glas bordeaux.

Lady Mary Wimsey zat met opgetrokken knieën in de vensterbank. Haar kortgeknipt gouden haar maakte een lichtvlek om haar in het zwakke herfstlicht. Ze had al eerder geprobeerd te ontbijten en zat nu over Piccadilly uit te staren. Ze droeg een serge rok en een jadegroene trui, die haar gebracht waren door het vierde lid van het gezelschap, dat bedaard een vleesschotel zat te eten en de karaf met Parker deelde.

Het was een nogal kleine, gezette, zeer kwieke oude dame, met felle, zwarte ogen als van een vogel en fraai opgemaakt wit haar. Ze zag er volstrekt niet uit alsof ze pas een lange nachtelijke reis achter de rug had. Ze was verreweg de kalmste en best verzorgde van de vier. Maar ze was uit haar humeur. Het was de hertogin-weduwe van Denver.

'Het gaat er niet zozeer om, Mary, dat je gisteravond zo plotseling bent verdwenen. Maar dan ben je nog zonder behoorlijke kleren weggegaan en hebt de auto genomen, zodat ik moest wachten op de trein van 1.15 uur van Northallerton. Bovendien, als je werkelijk naar de stad wilde vluchten, waarom dan op zo'n slordige manier? Als je voordat je wegging de treinenloop had nagekeken, zou je gezien hebben dat je in Northallerton een half uur moest wachten en dan had je makkelijk een koffertje kunnen pakken. Het is veel beter om de dingen netjes en grondig te doen, zelfs domme dingen, en het was inderdaad heel dom van je om zo weg te rennen en die arme meneer Parker met je beuzelpraatjes te vervelen - hoewel ik vermoed dat je Peter wou opzoeken. En jij, Peter, als je toch van die verdachte gelegenheden opzoekt vol socialisten, dan zou je in elk geval zo verstandig moeten zijn, ze niet aan te moedigen door ze achterna te lopen. Bovendien heeft het helemaal geen zin gehad; ik had Peter alles kunnen vertellen, als hij niet alles weet, wat hij waarschijnlijk wel doet.'

Lady Mary werd zo bleek als een doek en keek naar Parker, die veeleer haar dan de douairière antwoordde: 'Nee, lord Peter en ik hebben nog geen tijd gehad om iets te bespreken.'

'Uit angst dat het mijn geschokte zenuwen zou benadelen en de koorts me naar het arme hoofd zou stijgen. Je bent een goeie ziel, Charles, en ik weet niet wat ik zonder jou zou moeten beginnen. Ik wou dat die vervelende uitdrager z'n voorraad een beetje eerder had binnengehaald. Wat zijn er toch merkwaardig veel knoppen aan een ijzeren ledikant. Ik zag het aankomen, weet je, maar ik kon niet stoppen. Wat? een telegram? O, dank je Bunter.'

Lord Peter scheen het bericht met grote voldoening te lezen, want zijn mondhoeken trilden en hij stopte het papier met een zucht van tevredenheid in zijn portefeuille. Hij wierp Parker de volgende vraag toe.

'En hoe hebben jij en Mary het gisteravond gehad? Polly, heb je hem verteld dat jij de moord hebt gepleegd?'

Lady Mary sprong van de vensterpost.

'Ja, ik heb het gedaan,' zei ze. 'Het is volkomen waar. Je kostelijke zaak is afgelopen, Peter.'

De douairière zei, niet in het minst van haar stuk: 'Je zult moeten toegeven, dat je broer zelf het best over zijn eigen zaken kan oordelen, lieveling.'

'Ik geloof eigenlijk,' antwoordde Wimsey, 'dat Polly gelijk heeft. Ik hoop het tenminste. In elk geval hebben we de vent te pakken, zodat we het nu wel te weten zullen komen.'

'Die Goyles,' zei Peter achteloos. 'Zeldzaam vlug gedaan, hè? Maar omdat hij geen oorspronkelijker plan had dan de boottrein naar Folkestone te nemen, was het niet erg moeilijk.'

'Dat is niet waar,' zei lady Mary stampvoetend. 'Dat is een leugen. Hij is er niet bij geweest. Hij is onschuldig, ik heb Denis vermoord.'

Lord Peter zei: 'Mary, doe niet zo idioot.'

Bunter kwam binnen. Er streek een verkoelende tocht door de kamer, waardoor de spanning werd verdreven. Lord Peter sloeg zijn drankje achterover, liet zijn kussens opschudden, zijn temperatuur opnemen en zijn polsslag tellen. Toen vroeg hij of hij een ei bij zijn koffiemaal kon krijgen en stak een sigaret aan. Bunter verdween, de anderen gingen in gemakkelijke stoelen zitten en voelden zich wat meer op hun gemak.

'Hoor eens, lieve Polly,' zei Peter, 'hou nou op met dat geweeklaag. Ik ben die Goyles gisteravond toevallig in jouw club tegen het lijf gelopen. Ik vroeg die juffrouw Tarrant me aan hem voor te stellen, maar zodra Goyles mijn naam hoorde, smeerde hij hem. Ik rende hem achterna, alleen met de bedoeling om een woordje met hem te wisselen, toen die idioot op de hoek van Newport Court staan bleef, op me schoot en er vandoor ging. Wat een idiote streek! Ik wist wie hij was. Ze moesten hem dus te pakken krijgen.'

'Peter . . . !' zei Mary met verstikte stem.

'Heus, Polly,' zei Wimsey, 'ik heb aan jou gedacht, op m'n erewoord. Ik heb die vent niet laten arresteren, ik heb helemaal geen aanklacht tegen hem ingediend - nietwaar, Parker? Wat heb jij tegen ze gezegd, toen je vanmorgen bij Scotland Yard was?'

'Dat ze Goyles moesten vasthouden met het oog op inlichtingen, die hij als getuige in de zaak-Riddlesdale moest geven,' zei Parker langzaam.

'Hij weet er niets van,' zei Mary, nu op koppige toon.

'Hij is helemaal niet in de buurt geweest. Hij heeft er geen schuld aan!'

'Geloof je dat?' zei lord Peter ernstig. 'Als jij weet dat hij onschuldig is, waarom vertel je dan zoveel leugens om hem te dekken? Dat gaat niet op. Je weet dat hij er geweest is en je denkt dat hij schuldig is . . .'

'Nee!'

'Mary, weet je wel wat je doet? Je pleegt meineed en brengt het leven van Gerald in gevaar om een man te dekken, die je ervan verdenkt je minnaar vermoord te hebben en die in ieder geval zeker geprobeerd heeft mij te vermoorden.'

Het meisje keek haar broer een ogenblik hulpeloos aan. Van onder zijn verband wierp hij haar een grappig-smekende blik toe. De uitdrukking van afweer verdween van haar gezicht.

'Ik zal de waarheid vertellen,' zei lady Mary.

'Je bent een beste meid,' zei Peter, zijn hand uitstekend. 'Het spijt me. Ik weet dat je die vent aardig vindt en we stellen je besluit bijzonder op prijs. Echt waar. Steek nu maar van wal en schrijf jij alles op, Parker.'

'Ach, dat met George Goyles is al jaren geleden begonnen. Jij was toen aan het front, Peter, maar ik denk dat ze je er wel over verteld hebben - en alles in een zo ongunstig mogelijk licht hebben gesteld.'

'Dat zou ik niet willen zeggen, lieverd,' viel de hertogin in. 'Ik geloof dat ik Peter verteld heb dat je broer en ik niet erg ingenomen waren met die jongeman. We kenden hem maar oppervlakkig, zoals je je wel zult herinneren. Hij heeft zichzelf eens een weekeinde bij ons uitgenodigd, toen het huis helemaal bezet was, en hij scheen er een eer in te stellen met niemands gerief, behalve met het zijne rekening te houden. En je weet toch dat zelfs jij vond dat hij onnodig onbeleefd was tegen die arme ouwe lord Mountweazle. Maar alles wat ik me herinner tegen Peter te hebben gezegd, is dat Goyles in zijn manieren een gebrek aan beschaving vertoonde en in zijn meningen een gebrek aan zelfstandigheid.'

'Hoe dan ook,' zei Mary, 'George was de enige om wie ik werkelijk gegeven heb - en nog geef. Het leek alleen zo hopeloos. U hebt misschien niet zoveel over hem gezegd, moeder, maar Gerald zei genoeg. George had gewoon geen cent. Alles wat hij had, had hij aan de Labour Party gegeven en hij was zijn betrekking bij de voorlichtingsdienst kwijtgeraakt: ze vonden dat hij te veel op had met de buitenlandse socialisten. Het was werkelijk ontzettend onrechtvaardig. Hoe het ook zij, ik kon hem niet tot last zijn. Gerald was een mispunt en zei dat hij mijn toelage zou inhouden, als ik George niet zijn congé gaf. Dat heb ik toen gedaan, maar het maakte natuurlijk geen enkel verschil voor onze gevoelens. Wat moeder betreft, wil ik wel zeggen, dat ze zich iets behoorlijker heeft gedragen. Ze zei dat ze ons zou helpen, als George een baan kreeg; maar, zoals ik haar duidelijk maakte, als George een baan kreeg, hoefden we niet geholpen te worden! Na de oorlog is George naar Duitsland gegaan om daar het socialisme en arbeidskwesties te bestuderen en toen zag ik er helemaal geen gat meer in. Dus toen Denis Cathcart kwam opdagen, beloofde ik met hem te trouwen.'

'Waarom?' vroeg Peter. 'Die leek me nou helemaal niets voor jou. Ik bedoel, voorzover ik kon nagaan, was hij een conservatief en een diplomaat en - echt iemand van de oude stempel. Ik dacht dat jullie geen enkele opvatting gemeen hadden.'

'Nee; maar het kon hem geen zier schelen of ik opvattingen had of niet. Ik liet hem beloven dat hij me niet lastig zou vallen met diplomaten en zo, en hij zei dat ik kon doen wat ik wou; als ik hem maar niet in opspraak bracht. We zouden in Parijs gaan wonen en ieder onze eigen weg volgen. Alles leek me beter dan hier te blijven en met iemand uit mijn eigen kring te trouwen, bazars te openen, naar polowedstrijden te kijken en voorgesteld te worden aan de prins van Wales.'

'Maakte Jerry geen bezwaren wat je geld betrof?' vroeg Peter.

'O nee, hij zei dat Denis geen goeie vangst was - maar hij dankte de hemel dat het na George niet erger was. In het begin ging alles goed. Maar van lieverlede werd ik hoe langer hoe neerslachtiger. Weet je, er was iets griezeligs aan Denis. Hij was zo vreselijk beheerst. Ik weet wel dat ik met rust gelaten wilde worden, maar - dit was bepaald eng. Hij was correct, zelfs als hij verliefd werd en hartstochtelijk deed - wat niet vaak gebeurde - gedroeg hij zich correct . . . Ik stond voortdurend met George in correspondentie en begin van deze maand schreef hij me opeens dat hij uit Duitsland terug was en een baan had gekregen bij de Donderslag, - het socialistische weekblad, je weet wel - op een beginsalaris van vier pond per week. Hij vroeg me of ik me niet zou losmaken van de kapitalisten om met hem samen een eerlijk arbeidersleven te leiden. Hij zou me wel een secretaressebaantje bij het blad kunnen bezorgen. Ik zou voor hem typen en hem helpen met zijn artikelen. Hij dacht dat we samen wel zes of zeven pond zouden kunnen verdienen. Dat zou een heleboel zijn om van te leven. Ik werd met de dag banger voor Denis, dus zei ik dat ik het zou doen, maar ik wist dat ik ruzie met Gerald zou krijgen en ik schaamde me ook wel een beetje. Daarom besloten we dat we het beste deden als we er vandoor gingen en eerst trouwden om de moeilijkheden te ontlopen.'

'Juist,' zei Peter. 'Bovendien zou het een aardig kranteberichtje zijn geweest: DOCHTER VAN HERTOG TROUWT MET SOCIALIST - ROMANTISCHE SCHAKING IN ZIJSPAN - ZES POND PER WEEK VOLDOENDE, ZEGT DE LADY . . . Dus jullie spraken af dat die romantische Goyles je weg zou halen van Riddlesdale - maar waarom Riddlesdale? Van Londen of Denver uit zou het de helft gemakkelijker zijn geweest.'

'Nee. Ten eerste moest hij in het noorden zijn en in de stad kent iedereen me. En dan, we wilden niet wachten.'

'Maar waarom dan in 's hemelsnaam om drie uur in de nacht?'

'Hij moest woensdagavond op een vergadering in Northallerton zijn. Daarna zou hij direct naar mij toe komen om me af te halen en met me naar de stad te reizen, waar we met een speciale vergunning zouden trouwen. We hadden tijd in overvloed genomen. George moest de volgende dag op kantoor zijn.'

'Ik begrijp het. Nu ga ik verder en moet jij me waarschuwen, als ik het mis heb. Jij ging woensdagavond om half tien naar boven. Je pakte je koffer. Heb je eraan gedacht om de een of andere troostbrief aan je bedroefde vrienden en familieleden te schrijven?'

'Ja, die heb ik geschreven, maar ik . . .'

'Natuurlijk. Toen ging je naar bed, denk ik, of je sloeg in ieder geval de dekens terug en ging liggen.'

'Ja, ik ging liggen.'

'Heb je Gerald inderdaad om half twaalf uit horen gaan, zoals Pettigrew-Robinson (met zijn vervloekt gehoor) heeft gezegd?'

'Ik geloof wel dat ik iemand hoorde lopen,' zei Mary, 'maar ik heb er niet erg op gelet.'

'Om verder te gaan: om drie uur ging je naar beneden om Goyles te ontmoeten? Waarom kwam hij helemaal naar het huis toe? Was het niet veiliger geweest hem in de laan te ontmoeten?'

'Ik wist dat ik niet het hek bij de woning van de jacht-opziener door kon gaan zonder Hardraw wakker te maken en daarom moest ik ergens over de omheining klimmen. Dat zou ik wel alleen hebben kunnen klaarspelen, maar niet met een zware koffer. Aangezien George er dus toch in elk geval overheen moest klimmen, vonden we het beter als hij me zou komen helpen de koffer dragen. Bovendien konden we elkaar bij de serredeur niet mislopen. Ik had hem een kaart van de paadjes gestuurd.'

'Was Goyles er, toen je beneden kwam?'

'Nee - tenminste - nee, ik zag hem niet. Maar ik zag wel het lichaam van die arme Denis met Gerald er overheen gebogen. Mijn eerste gedachte was dat Gerald George had vermoord. Daarom zei ik "O, je hebt hem vermoord". Toen keerde Gerald zich om en zag ik dat het Denis was - en toen, daar ben ik zeker van, hoorde ik een eind verderop in het bosje iets bewegen - een geluid van brekende takken - en opeens dacht ik: "Waar is George" O, Peter, ik zag alles toen zo duidelijk; ik begreep dat Denis, toen hij beneden gekomen was, George had aangetroffen en hem had aangevallen - ik ben er zeker van dat Denis hem heeft aangevallen. Hij dacht waarschijnlijk dat het een inbreker was, of hij ontdekte wie het was en probeerde hem weg te jagen. En toen moet George hem, gedurende het gevecht, neergeschoten hebben. Het was ontzettend. Ik wist niet wat ik moest doen. Er was zo verschrikkelijk weinig tijd. Mijn enige gedachte was dat niemand mocht vermoeden dat er iemand geweest was. Daarom moest ik vlug een verklaring voor mijn eigen aanwezigheid verzinnen. Ik begon met mijn koffer achter de cactusplanten te schuiven. Gerald werd helemaal in beslag genomen door het lijk en zag niets. Maar ik wist, dat als er geschoten was, Freddy en de Marchbanken het gehoord moesten hebben. Daarom deed ik net of ik het ook had gehoord en naar beneden was gerend om inbrekers te betrappen. Het was nogal een flauw excuus, maar ik kon niets beters bedenken. Gerald stuurde me naar boven om alarm te maken en tegen de tijd dat ik op de gang kwam, had ik mijn verhaal klaar. O, en ik was zo trots op mezelf, dat ik de koffer niet had vergeten.'

'Die smeet je in de kist,' zei Peter.

'Ja, en ik schrok ontzettend, die ochtend, toen ik jou erin zag kijken.'

'Nou, ga door. Je maakte Freddy en de Pettigrew-Robinsons wakker. Toen moest je gauw je eigen kamer in om je afscheidsbrief te vernietigen en je kleren uit te doen.'

'Ja. Ik vrees dat ik dat gedeelte niet erg natuurlijk heb gedaan. Ik heb wat dat schot betreft een vreselijke fout gemaakt. Ik had het allemaal zo uitvoerig uitgelegd - en kwam toen tot de ontdekking dat niemand een schot had gehoord. En naderhand ontdekten ze dat het allemaal in het bosje was gebeurd - en de tijd klopte ook niet. Toen moest ik bij de lijkschouwing wel aan mijn verhaal vast houden - en het ging er hoe langer hoe erger uitzien - en toen gooiden ze de schuld op Gerald. In mijn wildste ogenblikken had ik aan zoiets niet gedacht. Ik was zo vreselijk in de knoop geraakt, ik dacht dat ik beter helemaal mijn mond kon houden, want ik was bang de zaak nog erger te maken.'

'En dacht je nog steeds dat Goyles het gedaan had?'

'Ik - ik wist niet wat ik ervan denken moest. Ik weet het nu nog niet. Wat had ik anders kunnen doen, Peter?'

'Heus, beste kind,' zei Wimsey, 'als hij het niet gedaan heeft, weet ik niet wie het wel gedaan heeft.'

'Hij is weggelopen, zie je,' zei lady Mary.

'Hij schijnt nogal goed te zijn in schieten en weglopen,' zei Peter grimmig.

'Als hij dat met jou niet had gedaan,' zei Mary langzaam, 'zou ik het je nooit verteld hebben. Ik was liever gestorven.'

'Wat ik niet begrijp,' bracht Wimsey in het midden, 'is hoe de revolver van Gerald in het bosje terecht is gekomen.'

'En wat ik wel eens zou willen weten,' zei de hertogin, 'is of Denis inderdaad een valsspeler was.'

'En ik zou graag weten hoe het met die groenogige kat zit,' zei Parker.

'Denis heeft me nooit een kat gegeven,' zei Mary. 'Dat is een nonsensverhaal.'

'Ben je ooit bij een juwelier in de Rue de la Paix met hem geweest?'

'O ja, dikwijls. En hij heeft me een diamanten en schildpadden kam gegeven, maar nooit een kat.'

'Dan kunnen we die hele uitvoerige biecht van gisteravond buiten beschouwing laten,' zei lord Peter, terwijl hij glimlachend Parkers notities bekeek. 'Hij is niet gek, Polly, helemaal niet. Je hebt beslist talent voor het verzinnen van romantische verhalen - heus, dat meen ik. Je moet alleen af en toe meer aandacht aan het detail besteden, bijvoorbeeld je kon onmogelijk die zwaargewonde man het pad naar het huis op gesleept hebben, zonder dat je jas onder het bloed zou zijn gekomen. Weet je dat wel? Tussen haakjes, kende Goyles Cathcart eigenlijk?'

'Zover ik weet niet.'

'Parker en ik hielden er nog een andere theorie op na, die Goyles in ieder geval van het ergste zou zuiveren. Vertel jij het haar maar, ouwe jongen, het was jouw idee.'

Aldus aangespoord, vertelde Parker in grote trekken de chantage- en zelfmoordtheorie.

'Dat klinkt aannemelijk,' zei Mary, 'theoretisch beschouwd, bedoel ik; maar het is niets voor George - ik bedoel, chantage is zoiets afschuwelijks.'

'Nou,' zei Peter, 'ik geloof dat we het beste naar Goyles toe kunnen gaan. Hij heeft in ieder geval de sleutel van het raadsel van woensdagnacht in handen. Parker, ouwe jongen, het eind van de jacht is in zicht.'

hoofdstuk 10

GOYLES WERD DE VOLGENDE DAG op het politiebureau ondervraagd. Murbles was erbij tegenwoordig en Mary stond erop, ook te komen. De jongeman begon op ietwat uitdagende wijze, maar het nuchtere optreden van de advocaat maakte de nodige indruk.

'Lord Peter Wimsey herkent in u,' zei Murbles, 'de man die eergisteravond een moordaanslag op hem heeft gepleegd. Met merkwaardige edelmoedigheid heeft hij ervan afgezien een aanklacht in te dienen. Wij weten bovendien dat u in Riddlesdale Lodge was in de nacht, toen kapitein Cathcart werd doodgeschoten. U zult in die zaak ongetwijfeld als getuige worden gedagvaard. Maar u zou de justitie een grote dienst bewijzen, als u nu tegenover ons een verklaring aflegde. Dit is een zuiver vriendschappelijk en particulier onderhoud, meneer Goyles. Zoals u ziet is er geen vertegenwoordiger van de politie aanwezig. We vragen alleen of u ons wilt helpen. Ik moet u echter waarschuwen dat hoewel het u natuurlijk volkomen vrij staat het antwoord op een vraag te weigeren, zulk een weigering u aan de ernstigste beschuldigingen zou kunnen blootstellen.'

'Dat komt op een bedreiging neer,' zei Goyles. 'Als ik u niets vertel, laat u me onder verdenking van moord arresteren.'

'Hoe komt u daarbij, meneer Goyles?' antwoordde de advocaat. 'We zouden alleen de inlichtingen die wij krijgen aan de politie doorgeven, die dan naar eigen goeddunken zou handelen.'

'Nu ja,' zei Goyles nors, 'het is een bedreiging, wat voor naam u er ook aan wilt geven. Maar goed, ik wil wel spreken. Jij hebt me er zeker bij gelapt, Mary?'

Mary bloosde van verontwaardiging.

'Mijn zuster is buitengewoon loyaal jegens u geweest, meneer Goyles,' zei lord Peter. 'Ik kan u wel zeggen, dat ze zich ter wille van u zelfs de grootste persoonlijke moeilijkheden - om niet te zeggen gevaren - op de hals

113

heeft gehaald. U werd in Londen gezocht, omdat u bij uw bijzonder haastige terugtocht onmiskenbare sporen had achtergelaten. Toen mijn zuster toevallig een telegram openmaakte, dat op mijn familienaam aan mij in Riddlesdale was geadresseerd, is ze onmiddellijk naar de stad gegaan om u te dekken als zij kon, wat het haar persoonlijk ook mocht kosten. Gelukkig had ik in mijn woning al een duplicaat-telegram ontvangen. Zelfs toen was ik nog niet zeker van uw identiteit, maar toevallig liep ik u in die club tegen 't lijf. Uw energieke pogingen echter om een gesprek te vermijden gaven mij volkomen zekerheid, alsook een voortreffelijk excuus om u aan te houden.'

'Goed, ik zal u mijn geschiedenis zo kort mogelijk vertellen, dan zult u zien wat ik van de hele vervloekte zaak afweet. Als u me niet gelooft, kan ik het niet helpen. Ik kwam om ongeveer kwart voor drie aan en zette mijn kar in de laan neer.'

'Waar was u om tien voor twaalf?'

'Op de weg buiten Northallerton. Mijn vergadering was pas om kwart voor elf afgelopen. Ik heb honderd getuigen, die dat kunnen bewijzen.'

Wimsey noteerde het adres waar de vergadering was gehouden en knikte tegen Goyles, dat hij verder moest gaan.

'Ik klom over de muur en liep door het bosje.'

'Hebt u geen sterveling gezien?'

'Geen mens, dood of levend.'

'Hebt u ook bloed of voetsporen op het pad gezien?'

'Nee. Ik wou mijn zaklantaarn niet gebruiken, uit angst dat ik van het huis uit zou worden gezien. Even voor drieën kwam ik bij de serredeur. Toen ik ernaartoe liep, struikelde ik over iets. Het leek op een lichaam, toen ik het betastte. Ik schrok. Ik dacht dat het misschien Mary was - ziek of flauw gevallen of zoiets. Ik waagde het erop en deed mijn lamp aan. Toen zag ik dat het Cathcart was, dood.'

'Eén ogenblik,' onderbrak de advocaat. 'U zegt dat u zag dat het Cathcart was. Kende u Cathcart dan al?'

'Nee. Ik zag dat het een dode man was. Naderhand hoorde ik dat het Cathcart was.'

'U wilt zeggen dat u niet uit uzelf weet dat het Cathcart was?'

'Ja - tenminste, ik herkende naderhand de foto's in de kranten.'

'Het is hoogst noodzakelijk dat u nauwkeurig bent in uw verklaringen, meneer Goyles. Een opmerking als u zojuist hebt gemaakt, zou een hoogst ongelukkige indruk op de politie of op de jury kunnen maken.'

'En toen?' vroeg Peter.

'Ik dacht dat ik iemand het pad af hoorde komen. Ik vond het niet raadzaam om daar met het lijk te worden aangetroffen en daarom smeerde ik hem.'

'O,' zei Peter, met een onbeschrijflijke uitdrukking, 'dat was een heel eenvoudige oplossing. Uw optreden was dus zodanig, dat het meisje, met wie u zou trouwen, alléén tot de onplezierige ontdekking moest komen, dat er een dode man in de tuin lag en dat haar galante minnaar sporen had achtergelaten. Wat dacht u eigenlijk dat zij daarvan moest denken?'

'Ik dacht dat ze in haar eigen belang wel haar mond zou houden. Feitelijk heb ik niet zo erg precies nagedacht. Ik wist dat ik ergens was ingebroken waar ik niets te maken had en dat, als ik met een vermoorde man werd aangetroffen, het er raar voor mij uit zou zien.'

'Dat wil zeggen,' sprak Murbles, 'u verloor uw hoofd, jongeman, en ging er heel dwaas en lafhartig vandoor.'

'Ja,' zei lord Peter ironisch. 'U schijnt beter te zijn in het beramen van samenzweringen dan in de uitvoering ervan. Een kleinigheid brengt u al van streek, meneer Goyles. Weet u, ik geloof echt niet dat iemand met uw temperament vuurwapens moest dragen. Hoe kwam u er in 's hemelsnaam toe, eergisteravond die proppenschieter op me af te vuren? Dat had u in een vervloekt vervelende situatie kunnen brengen.'

Murbles drukte op een tafelbel en Parker kwam binnen met een politieagent. 'We zullen u dankbaar zijn,' zei Murbles, 'als u zo goed wilt zijn deze jongeman onder uw hoede te houden. Zolang hij zich behoorlijk gedraagt, dienen wij geen aanklacht tegen hem in, maar hij moet niet proberen ervandoor te gaan eer de zaak-Riddlesdale vóórkomt.'

'Natuurlijk niet, meneer,' zei Parker.

'Eén ogenblik,' zei Mary. 'Meneer Goyles, hier is de ring die u me hebt gegeven. Vaarwel. Als u weer eens een rede houdt, waarin u een vastberaden optreden eist, zal ik komen applaudisseren. U spreekt zo mooi over dat soort dingen. Voor het overige, geloof ik, kunnen we elkaar beter niet meer ontmoeten.'

Voor Goyles kon antwoorden, leidde Parker zijn pupil de kamer uit. Mary liep naar het raam en bleef daar staan, terwijl zij op haar lippen beet.

Toen kwam lord Peter op haar toe. 'Luister eens, Polly, Murbles heeft ons voor de lunch gevraagd. Heb je zin om mee te gaan? Sir Impey Biggs is er ook.'

'Het is vreselijk lief van je, Peter, dat je de baby wilt afleiden. Maar ik kan niet. Ik zou me idioot aanstellen. Ik heb voor vandaag al een voldoende idioot figuur geslagen.'

'Nonsens,' zei Peter.

'Ik hoop dat lady Mary erin toestemt mijn vrijgezellenwoning op te luisteren,' zei de advocaat, op hen toekomend. 'Ik zal het een zeer grote eer achten . . . Ik geloof werkelijk, dat ik in geen twintig jaar een dame op mijn kamers te gast heb gehad - lieve help, ja, het is zeker twintig jaar geleden.'

'In dat geval,' zei lady Mary, 'kan ik het eenvoudig niet weigeren.'

Murbles bewoonde een verrukkelijk oud stel kamers in Staple Inn, met ramen die uitzagen op de stijve tuin met zijn zonderlinge bloembedjes en klaterende fontein. De vertrekken ademden op wonderbaarlijke wijze de ouderwetse juridische geest, die ook van zijn eigen keurige figuur uitging. Zijn eetkamer was ingericht met mahoniehouten meubelen, een Turks karpet en rode gordijnen. Op zijn buffet stonden een paar mooie staaltjes van Sheffield-smeedwerk en een aantal karaffen met zilveren etiketten om de hals, waarin lettertekens waren gegrift. Er was een boekenkast vol dikke delen in bruinleren band en boven de schoorsteenmantel hing een olieverfschilderij van een rechter met strenge gelaatstrekken. Lady Mary voelde zich eensklaps dankbaar voor deze discretie en degelijke Victoriaanse stijl.

'Ik vrees dat we een paar minuten op sir Impey zullen moeten wachten,' zei Murbles, terwijl hij op zijn horloge keek. 'Hij is bezig met de zaak Quangle & Hamper tegen Truth, maar ze denken er vanmorgen mee klaar te komen. Sir Impey dacht dat het om twaalf uur wel gebeurd zou zijn. Een voortreffelijk man, sir Impey. We hebben het bijzonder getroffen, dat we ons van zijn hulp kunnen verzekeren - aha! ik geloof dat ik hem hoor!'

Haastige voetstappen op de trap kondigden inderdaad de geleerde advocaat aan, die, nog in toga en pruik, naar binnen stormde en zich uitvoerig verontschuldigde.

'Zo, zo,' zei Murbles stralend. 'Laten we beginnen. Ik ben bang, jongelui, dat ik te ouderwets ben om me aan die nieuwe mode van het cocktail-drinken te houden.'

'Gelukkig maar,' zei Wimsey met nadruk. 'Het bederft je smaak en je spijsvertering. Het is geen Engelse gewoonte - het is gewoonweg heiligschennis tegenover dit oude huis. Het is iets uit Amerika - een resultaat van het drankverbod. Dat gaat zo met mensen, die niet weten hoe ze moeten drinken. Goeie genade, meneer Murbles, u schenkt ons een beroemde bordeaux. Het is bepaald een zonde om in tegenwoordigheid daarvan over een cocktail te spreken.'

'Ja,' zei Murbles, 'ja, het is een Lafite van '75. Ik haal hem maar heel zelden te voorschijn voor mensen van onder de vijftig - maar u, lord Peter, bezit een onderscheidingsvermogen, dat men alleen verwacht bij iemand die tweemaal zo oud is als u.'

'Dank u zeer; dat is een opmerking die ik zeer waardeer. Mag ik de fles laten rondgaan?'

'Ja zeker - dank je, Simpson, we zullen ons zelf bedienen. Na de maaltijd,' vervolgde Murbles, 'zal ik u iets heel bijzonders laten proeven. Een wonderlijke oude cliënt van me is een paar dagen geleden gestorven en heeft me een dozijn flessen port van '47 vermaakt.'

'Tjonge, jonge,' zei Peter, ''47! Die zal wel niet meer te drinken zijn, hè?'

'Daar ben ik ook erg bang voor,' antwoordde Murbles. ''t Is wel jammer. Maar ik heb het gevoel dat we zo'n merkwaardig stukje antiek enige eer moeten bewijzen.'

'Volkomen juist,' zei Peter. 'Maar wat bezielde die

oude man om de wijn van zo'n goed jaar te laten verzuren?'

'Meneer Featherstone was een hoogst merkwaardig man,' zei Murbles. 'En toch - ik weet het niet; het kan wel zijn dat hij zeer wijs was. Hij had de naam buitengewoon gierig te zijn. Hij kocht nooit een nieuw pak, nam nooit vakantie, is nooit getrouwd en woonde zijn leven lang in dezelfde donkere, bekrompen kamers, die hij al als advocaat zonder praktijk had betrokken. Toch had hij een enorm kapitaal van zijn vader geërfd, dat hij maar liet aangroeien. Zijn oude heer had de port in 1860 opgelegd. Mijn cliënt was toen vierendertig jaar. Hij stierf zelf, toen hij zesennegentig was. Hij zei dat geen enkel genoegen opwoog tegen hetgeen je ervan verwachtte. Daarom leefde hij als een kluizenaar - hij deed niet anders dan plannen maken voor de dingen, die hij had kunnen doen. Hij hield een uitvoerig dagboek bij, waarin hij van dag tot dag aantekeningen hield van zijn denkbeeldig bestaan, dat hij nooit aan de proef der verwezenlijking had durven onderwerpen. Het dagboek bevatte een nauwkeurige beschrijving van het gelukkige huwelijksleven met de vrouw van zijn dromen. Met Kerstmis en Pasen verscheen er steeds een fles van de port '47 op tafel, die aan het eind van zijn karige maaltijd weer even plechtig ongeopend werd weggebracht. Als een goed christen verwachtte hij groot geluk na zijn dood te zullen smaken, maar zoals u ziet heeft hij dat geluk zo lang mogelijk uitgesteld. Hij stierf met de woorden "Die zijn belofte heeft gegeven, is trouw" - tot het einde toe had hij behoefte aan zekerheid. Inderdaad, een hoogst merkwaardig mens - ver verwijderd van de avontuurlijke geest van de tegenwoordige generatie.'

'Wat wonderlijk en roerend,' zei Mary.

'Misschien had hij eenmaal zijn zinnen op iets onbereikbaars gezet,' zei Parker.

'Dat weet ik eigenlijk niet,' zei Murbles.

De port van '47 bleek inderdaad dood spul te zijn; er was nog maar een flauwe schim van het oude boeket te bespeuren. Lord Peter hield zijn glas even omhoog.

'Het smaakt naar een passie, die over haar hoogtepunt heen is en moe is geworden,' zei hij, eensklaps ernstig.

'Er zit niets anders op dan moedig onder het oog te zien, dat ze dood is en haar te vergeten.'

Met een beslist gebaar gooide hij de rest van de wijn in het vuur.

'Maar, wat die zaak aangaat, hebben we u een heleboel te vertellen.'

Met de hulp van Parker zette hij de twee rechtsgeleerden de hele gang van het onderzoek uiteen. Lady Mary kwam ronduit voor de dag met haar lezing van de gebeurtenissen van die nacht.

'Het komt erop neer,' zei Peter, 'dat die Goyles lang niet meer zo interessant is, nu hij geen moordenaar is. Maar nu de zaken er zo voor staan, moeten we zoveel mogelijk van hem als getuige profiteren!'

'Ik feliciteer u en meneer Parker,' zei Murbles langzaam, 'met de ijver en scherpzinnigheid waarmee u de zaak uitwerkt.'

'Ik geloof dat we wel kunnen zeggen dat we enige vorderingen hebben gemaakt,' zei Parker.

'Al zijn ze alleen maar negatief,' vulde Peter aan.

'Inderdaad,' zei sir Impey. 'Inderdaad, zeer negatief. En wat ga je nu doen, nadat je de verdediging zo hevig in de weg hebt gezeten?'

'Dat is ook vriendelijk gezegd,' riep Peter verontwaardigd, 'nadat we zoveel punten voor je opgehelderd hebben!'

'Dat is waar,' zei de advocaat, 'maar het is het soort punten dat we beter kunnen wegmoffelen.'

'We moeten achter de waarheid komen!'

'O ja?' zei sir Impey droogjes. 'Ik niet. De waarheid kan me geen cent schelen. Ik moet een zaak hebben. Het doet er voor mij niet toe wie Cathcart vermoord heeft, mits ik kan bewijzen dat het niet Denver was. Het is al genoeg als ik redelijke twijfel kan wekken aan Denvers schuld.'

'Kom, kom,' zei Murbles, 'dit betekent allemaal niets anders dan dat we niet op onze lauweren moeten gaan rusten. Jij moet verdergaan, beste jongen, en meer positieve bewijzen zien te krijgen. Als die Goyles Cathcart niet vermoord heeft, moeten we toch degeen kunnen vinden, die het wel gedaan heeft.'

119

'Hoe dan ook,' zei Biggs, 'we kunnen voor één ding dankbaar zijn - en dat is, dat u de vorige donderdag nog te ziek was om voor de grote jury te verschijnen, lady Mary.' - Lady Mary bloosde. - 'De aanklacht gaat ervan uit dat er om drie uur 's nachts een schot is gelost. Beantwoordt u geen enkele vraag, als u het even kunt, dan zorgen wij wel voor de rest.'

'Maar zullen ze daarna nog iets geloven van wat ze tijdens het proces verklaart?' vroeg Peter twijfelend.

'Als ze 't niet doen, des te beter. Ze is *hun* getuige. Ze zullen u het hemd van het lijf vragen, lady Mary, maar daar moet u zich niet te veel van aantrekken. Het hoort allemaal bij het spel. Houdt u aan uw verhaal vast, dan knappen wij de zaak wel op. Begrepen?' Sir Impey hief dreigend zijn wijsvinger op.

'Ik begrijp het,' zei Mary.

'Tussen haakjes, Denver weigert nog steeds te verklaren waar hij geweest is, nietwaar?'

'Categorisch,' antwoordde Murbles. 'En ik vrees dat het voor het ogenblik geen zin heeft het onderzoek in die richting voort te zetten. Als we op een andere manier achter de waarheid kunnen komen en de hertog ermee confronteren, zou hij misschien ertoe gebracht kunnen worden, die te bevestigen.'

'Volgens mij,' zei Parker, 'kunnen we nog drie wegen inslaan. Ten eerste moeten we proberen het alibi van de hertog buiten hem om vast te stellen. Ten tweede kunnen we het getuigenmateriaal opnieuw bekijken met het doel de ware moordenaar te ontdekken. En ten derde is het mogelijk dat de Parijse politie enig licht brengt in het verleden van Cathcart.'

'En ik geloof dat ik weet waar ik heen moet gaan om inlichtingen te krijgen voor de tweede weg,' zei Wimsey eensklaps. 'Grider's Hole.'

'Fuuut!' floot Parker. 'Dat was ik helemaal vergeten. Daar woont die bloeddorstige boer, hè, die zijn honden op je afgestuurd heeft?'

'Met zijn merkwaardige vrouw, ja. Zeg, wat denk je hiervan? Die man is wild jaloers op zijn vrouw en geneigd om iedere man die in haar buurt komt te verdenken. Toen ik er die dag heen ging en zei dat een vriend van me er misschien de vorige week in de buurt kon zijn geweest, wond hij zich verschrikkelijk op en dreigde hij die kerel met moord en doodslag. Het leek wel of hij wist wie ik bedoelde. Aangezien ik helemaal vervuld was van maat 10 - Goyles, weet je wel? - dacht ik niet anders dan dat hij die man was. Maar als het nou Cathcart eens was. We weten nu immers dat Goyles vóór woensdag zelfs niet in de buurt is geweest, dus kan je niet verwachten dat hoe heet hij ook weer - Grimethorpe - iets van hem afwist, maar Cathcart kon ieder ogenblik naar Grider's Hole gaan en daar gezien worden. En dan is er nog iets, dat in het beeld past. Toen ik daar was, hield mevrouw Grimethorpe me kennelijk voor iemand die ze kende en kwam me haastig waarschuwen, dat ik weg moest gaan. Ach, natuurlijk, ik heb de hele tijd gedacht dat ze mijn oude pet en regenjas door het raam gezien moet hebben en me voor Goyles moet hebben gehouden. Maar nu herinner ik me dat ik dat kind dat aan de deur kwam vertelde, dat ik van Riddlesdale Lodge kwam. Als het kind dat aan haar moeder verteld heeft, moet die gedacht hebben dat het Cathcart was.'

'Nee, nee, Wimsey, dat klopt niet,' viel Parker hem in de rede, 'ze moet toen al geweten hebben dat Cathcart dood was.'

'Ja, dat zal wel! Behalve als die grimmige ouwe duivel het voor haar verborgen had gehouden. Allemachtig! dat zou hij zeker gedaan hebben, als hij Cathcart zelf vermoord had. Dan zou hij er zeker niets tegen haar over zeggen - en ik denk niet dat hij haar de krant zou laten inkijken, als ze er al een hebben.'

'Maar heb je niet gezegd dat Grimethorpe een alibi had?'

'Ja, maar dat hebben we nog niet nagegaan.'

'En hoe verklaar je dat hij wist dat Cathcart die nacht in dat bosje zou zijn?'

Peter dacht even na.

'Misschien had hij hem een boodschap gestuurd,' opperde Mary.

'Juist! Juist!' riep Peter opgewonden. 'Herinner je je nog dat we dachten dat Cathcart op een of andere manier een afspraak met Goyles moest hebben gemaakt?

Maar stel je voor dat de boodschap van Grimethorpe was gekomen, een dreigement om Cathcart te verraden tegenover Jerry.'

'U wilt dus zeggen, lord Peter,' zei Murbles op een toon, die bedoeld was om Peters buitensporige blijdschap te temperen, 'dat Cathcart, terwijl hij verloofd was met uw zuster, een minderwaardige verhouding had met een getrouwde vrouw?'

'Als je dat alibi van Grimethorpe te niet kunt doen,' zei sir Impey, 'zouden we daar misschien een zaak van kunnen maken. Wat denk jij ervan, Murbles?'

'Per slot van rekening,' zei de advocaat, 'geven Grimethorpe en de knecht allebei toe, dat hij - Grimethorpe - woensdagnacht niet op Grider's Hole is geweest. Als hij niet kan bewijzen dat hij in Stapley was, kan het zijn dat hij in Riddlesdale is geweest.'

'Hoera!' riep Wimsey. 'Ik geloof dat ik naar Riddlesdale terugga.'

'Ik geloof dat ik beter hier kan blijven,' zei Parker. 'Er kan iets uit Parijs komen.'

'Je hebt gelijk. Laat me direct weten als er iets doorkomt.'

hoofdstuk 11

LORD PETER ONDERBRAK ZIJN REIS naar het noorden te York, waar de hertog van Denver na de rechtszitting naartoe was gebracht, in verband met de op handen zijnde sluiting van de gevangenis in Northallerton. Door handige overreding lukte het Peter een onderhoud met zijn broer te verkrijgen. Deze zag er niet op zijn gemak uit en was terneergedrukt door de atmosfeer van de gevangenis, maar nog steeds even onverzettelijk.

'Het is verdomd vervelend,' zei de hertog, 'en ik zou wel eens willen weten wat Murbles van plan is. Je zou warempel geloven dat hij me verdenkt.'

'Hoor eens, Jerry,' zei zijn broer ernstig, 'waarom helder je dat alibi van je niet op? Dat zou een reuze-hulp zijn.'

'Het is mijn taak niet om iets te bewijzen,' antwoordde de hertog waardig. 'Zij moeten bewijzen dat ik er was en die vent vermoord heb. Ik ben niet verplicht te zeggen waar ik was. Ik word geacht onschuldig te zijn, nietwaar, tot ze bewezen hebben dat ik schuldig ben. Het is een schandaal. Er is een moord begaan en ze getroosten zich niet de geringste moeite om de werkelijke misdadiger te vinden. Ik geef hun mijn woord van eer, om over een eed maar niet eens te spreken, dat ik Cathcart niet vermoord heb - maar niemand schenkt er enige aandacht aan. Inmiddels kan de echte man op z'n dooie gemak ontsnappen. Als ik maar vrij was, dan zou je wat beleven!'

'Verduiveld, waarom kom je dan niet over de brug?' drong Peter aan. 'Ik bedoel niet nu en tegen mij' - dit met een blik op de cipier, die binnen gehoorsafstand was - 'maar tegen Murbles. Dan konden we aan 't werk gaan.'

'Ik wou erg graag dat jij je er buiten hield,' bromde de hertog. 'Ik mag dan in een hoogst onplezierige situatie verkeren, maar ik plaats me niet in het middelpunt van de publieke belangstelling.'

'Wel, allemachtig!' zei lord Peter zo heftig dat de onverstoorbare cipier opsprong, 'jíj maakt er een publieke voorstelling van. Zonder jou was het nooit zo ver gekomen. Hou ermee op, Jerry.'

'We zitten er nou eenmaal in,' zei zijn broer, 'en ik dank de hemel dat er onder de hoge adel nog nette kerels zijn, die weten wat het woord van een gentleman waard is, zelfs als mijn eigen broer niet verder kan kijken dan zijn vervloekt gerechtelijk bewijsmateriaal.'

'Hoor eens, jongen,' zei Peter. 'Als je niets zeggen wilt, dan zeg je niets. Wij sloven ons allemaal uit en we zullen de juiste man zeker binnenkort te pakken krijgen.'

'Je kunt het beter aan de politie overlaten,' zei Denver. 'Ik weet dat je graag voor detective speelt, maar ik vind dat je ergens een grens moet trekken.'

'Die zit,' zei Wimsey, 'maar ik beschouw deze zaak niet als een spelletje en ik kan niet beloven dat ik me er buiten houd, want ik weet dat ik belangrijk werk doe. Maar toch begrijp ik jouw standpunt en het spijt me vreselijk dat je je zo aan me ergert. Nu, tot ziens - die cipier is net van plan om te zeggen dat het tijd is - adieu.'

Buiten voegde hij zich bij Bunter.

'Bunter,' zei hij, toen ze door de straten van de oude stad liepen, 'is mijn optreden werkelijk beledigend, ook al bedoel ik het niet?'

'Het is mogelijk, my lord, als ik het zo mag zeggen, dat de levendigheid van uw optreden een misleidende indruk kan maken op mensen met een beperkte . . .'

'Voorzichtig, Bunter!'

'Een beperkte fantasie, my lord.'

'Welopgevoede Engelsen hebben geen verbeeldingskracht, Bunter.'

'Natuurlijk niet, my lord. Ik bedoel niets kwetsends.'

Voor zijn bezoek aan de marktstad Stapley doste lord Peter zich uit met een oud Norfolk-pak, onopvallende sportkousen, een oude hoed met omgeslagen rand, zware schoenen en een flinke knuppel. Het speet hem dat hij zijn geliefde wandelstok thuis moest laten - een mooie Malakka, in centimeters verdeeld ten gerieve van de speurder, met een dolk in de schacht verborgen en een kompas in de knop. Hij was echter van mening, dat een en ander de aandacht van de inboorlingen op hem kon vestigen, omdat het een steedse indruk maakte.

Toen hij in een van de dogkarren van Riddlesdale, met Bunter naast zich en de tuinknecht op de achterbank, het stadje binnenreed, maakte dit een slaperige indruk. Als hij het voor het kiezen had gehad, zou hij op een marktdag zijn gekomen, in de hoop Grimethorpe zelf te ontmoeten. Maar de tijd drong en hij durfde geen dag te verliezen. Het was een gure ochtend en het leek of er regen zou komen.

'Bij welke herberg kunnen we het beste afstappen, Wilkes?'

'Je hebt de Bricklayers' Arms, my lord - een mooie, gunstig bekend staande zaak, of de Bridge and Bottle op het plein, of de Rose and Crown aan de overkant van het plein.'

'Waar gaan de mensen op marktdag gewoonlijk naar toe?'

'Misschien is de Rose and Crown het populairst, om het zo te zeggen - Tim Watchett, de baas, is een reuze-kletskous. Die Greg Smith van de Bridge and Bottle is een zure vent, maar hij heeft goeie drank.'

'H'm - ik geloof, Bunter, dat onze man zich meer aan-getrokken voelt tot zuurheid en goeie drank dan tot een gezellige gastheer. Ik denk dat we naar de Bridge and Bottle moeten gaan. En als we daar bot vangen, kuieren we naar de Rose and Crown, om die praatzieke Wat-chett uit te horen.'

Ze reden de binnenplaats van een groot, nors huis op, welks sinds lang niet geschilderd uithangbord nog vaag de omtrekken vertoonde van 'Bridge Embattled', dat het plaatselijk spraakgebruik (door een natuurlijke asso-ciatie) veranderde in 'Bridge and Bottle'. Peter richtte zich op zijn beminnelijkste wijze tot de grommende paardenknecht:

'Frisse morgen, hè?'

'Huh.'

'Geef hem maar flink wat te eten, ik moet hier waar-schijnlijk een tijdje blijven.'

'Uugh!'

'Ik ben overtuigd, dat dit het huis is waar boer Grimethorpe geregeld komt. Laten we het eens in de gelagkamer proberen. Wilkes, ik heb jou voorlopig niet nodig. Ga nu maar wat eten, als je zin hebt. Ik weet niet hoe lang het duurt.'

'Goed, my lord.'

In de gelagkamer van de Bridge and Bottle vonden ze Greg Smith, somber bezig met het nazien van een rekening. Lord Peter bestelde iets te drinken voor Bunter en hemzelf. De waard scheen dit als een onbeschaamdheid op te vatten en wees met een hoofdknik naar de buffetjuffrouw. Het was niet meer dan betamelijk, dat Bunter, nadat hij zijn meester netjes had bedankt voor het glas bier, een praatje met het meisje zou gaan maken, terwijl lord Peter zijn aandacht wijdde aan de heer Smith.

'Aha!' zei Wimsey, 'dat is goed spul, meneer Smith. Ze hebben me gezegd dat ik hierheen moest gaan om goed bier te krijgen, en waarachtig, ze hebben me naar het juiste adres gestuurd.'

'Uuh!' zei Smith. 'Het is niet meer zoals vroeger. Niks deugt er tegenwoordig.'

'Nou, ik verlang niets beters. Tussen haakjes, is meneer Grimethorpe vandaag hier?'

'Hè?'

'Weet u ook of meneer Grimethorpe vanochtend in Stapley is?'

'Hoe zou ik dat weten?'

'Ik dacht dat hij altijd hier kwam.'

'Aah.'

'Misschien heb ik de naam verkeerd verstaan, maar ik dacht dat hij er de man naar was om daarheen te gaan, waar je het beste bier vindt.'

'Eeh.'

'O, nou, als u hem niet gezien hebt, denk ik dat hij vandaag niet gekomen is.'

'Waar gekomen?'

'Nou, in Stapley.'

'Woont hij hier soms niet?'

Wimsey begreep het misverstand. 'Ik bedoel niet meneer Grimethorpe uit Stapley, maar meneer Grimethorpe van Grider's Hole.'

'Waarom zei u dat dan niet?'

'Is die hier vandaag?'

'Ik weet niks van hem.'

'Op marktdag komt hij zeker, hè?'

'Soms.'

'Het is nogal een eind weg. Je kunt hier zeker ook overnachten.'

'Wilt u hier overnachten?'

'O nee, dat denk ik niet. Ik dacht aan mijn vriend Grimethorpe. Ik vermoed dat die dikwijls hier moet blijven slapen.'

'Misschien wel.'

'Slaapt hij dan niet hier?'

'Nee.'

'O,' zei Wimsey en dacht ongeduldig: 'Als al die inboorlingen zo potdicht zijn, zal ik wel moeten overnachten . . .'

'Zo zo,' zei hij hardop, 'zegt u maar dat ik naar hem gevraagd heb, als hij de volgende keer komt.'

'En wie bent u dan wel?' vroeg Smith op vijandige toon.

'O, eh - Brooks uit Sheffield,' zei lord Peter vrolijk grinnikend. 'Goeie morgen! Ik zal niet vergeten uw bier aan te bevelen.'

Smith bromde wat. Lord Peter liep langzaam naar buiten. Kort daarop voegde Bunter zich bij hem.

'En?' vroeg lord Peter Wimsey. 'Ik hoop dat de jongedame mededeelzamer was dan die vent.'

'Ik vond het vrouwspersoon heel vriendelijk, my lord, maar bijzonder slecht op de hoogte. Ze kent Grimethorpe wel, maar hij logeert hier nooit. Ze heeft hem wel eens gezien in het gezelschap van een man, die Zodokiah Bone heet.'

'Goed,' zei Wimsey, 'als jij eens op zoek gaat naar Bone en me over een paar uur het resultaat komt vertellen. Ik ga de Rose and Crown proberen. Dan ontmoeten we elkaar om twaalf uur bij dat ding.'

'Dat ding' was een hoog bouwwerk van roze graniet, zodanig bewerkt dat het precies op een grillig rotsblok leek.

De heer Timothy Watchett van de Rose and Crown vormde zeker een tegenstelling met de heer Greg Smith. Hij was een kleine, magere man van ongeveer 55 jaar, met zulke wakkere, guitige ogen en zo'n kwiek voorkomen, dat lord Peter zodra hij hem zag wist waar hij vandaan kwam.

'Goeie morgen, kastelein,' zei hij hartelijk, 'wanneer ben jij voor 't laatst op Piccadilly Circus geweest?'

'Moeilijk te zeggen, meneer. 't Moet bijna vijfendertig jaar geleden zijn. Ik zeg zo dikwijls tegen mijn vrouw: "Liz, voordat ik dood ga, zal ik je Holborn Empire laten zien." Maar de tijd gaat onopgemerkt voorbij - voor je het weet, ben je oud, meneer.'

'Nou, nou, je hebt de tijd nog,' zei lord Peter.

'Dat hoop ik, meneer. Ik heb zogezegd nooit aan die noorderlingen hier kunnen wennen. Wat mag ik voor u doen? . . . Neem me niet kwalijk, meneer, maar heb ik uw gezicht niet al eerder gezien?'

'Dat geloof ik niet,' zei Peter, 'maar dat brengt me op een gedachte. Ken jij een zekere meneer Grimethorpe?'

'Ik ken vijf meneren Grimethorpe. Wie van de vijf bedoelt u?'

'Meneer Grimethorpe van Grider's Hole.'

Het opgewekte gezicht van de waard betrok.

'Een vriend van u, meneer?'

'Niet bepaald. Een kennis.'

'Alsjeblieft!' riep Watchett, terwijl hij met zijn hand op de toonbank sloeg. 'Ik wist dat ik uw gezicht al eerder had gezien. Woont u daarginds, op Riddlesdale, meneer?'

'Ik logeer er.'

'Ik wist het!' antwoordde Watchett triomfantelijk. Hij dook achter de toonbank, haalde een pak kranten tevoorschijn en sloeg de bladen haastig met een natte duim om. 'Daar! Riddlesdale! Natuurlijk, daar heb je het!'

Hij sloeg een Daily Mirror van ongeveer veertien dagen geleden op. Op de voorpagina stond een opschrift in vette letters: HET RAADSEL VAN RIDDLESDALE. En daaronder stond een sprekend gelijkende foto met het onderschrift: *Lord Peter Wimsey, de Sherlock Holmes van het West End, die al zijn tijd en energie besteedt om te bewijzen dat zijn broer, de Hertog van Denver, onschuldig is.'*

Watchett genoot.

'Hoor eens, beste man,' zei lord Peter. 'Nu je me toch herkend hebt: zou je me niet wat inlichtingen kunnen geven en je mondje dichthouden?'

'Gaat u maar even mee naar de achterkamer, my lord. Daar hoort niemand ons,' zei Watchett met graagte, terwijl hij de klep van de toonbank oplichtte.

De inlichtingen van Watchett kwamen hierop neer. Grimethorpe kwam vrij geregeld in de Rose and Crown, vooral op marktdagen. Ongeveer tien dagen geleden was hij nogal laat binnengekomen, erg dronken en vechtlustig, in gezelschap van zijn vrouw, die als gewoonlijk doodsbenauwd voor hem was. Grimethorpe had om sterke drank gevraagd, maar Watchett had geweigerd hem te tappen, en hem gezegd, dat hij hem voortaan de toegang zou weigeren. Hij had van alle kanten gehoord dat het humeur van Grimethorpe, dat als bijzonder slecht bekend stond, de laatste tijd volkomen duivels was geworden.

'Vertel me eens,' zei lord Peter, 'herinner jij je dat Grimethorpe op 13 oktober in Stapley is geweest? Dat was een woensdag.'

'Dat zou dan de dag zijn van de - aha! natuurlijk! Ja, ik herinner het me, want ik weet nog dat ik het raar vond dat hij op een andere dag dan een marktdag hier kwam. Hij zei dat hij hier voor gereedschap kwam - drilboren enzo, ja dat is waar. Hij is hier inderdaad geweest.'

'Weet je ook nog hoe laat hij binnenkwam?'

'Nou, ik geloof dat hij hier koffie heeft gedronken. De kelnerin zal het wel weten. "Hé, Bet!" riep hij door de zijdeur, "herinner jij je nog of meneer Grimethorpe hier op 13 oktober heeft geluncht?" '

'Grimethorpe van Grider's Hole?' zei het meisje. 'Ja! Hij gebruikte de lunch en kwam terug om te slapen. Ik vergis me niet, want ik heb hem bediend en hem 's morgens water boven gebracht en hij gaf me maar twee pence.'

'Afschuwelijk!' zei lord Peter. 'Luister eens, juffrouw

Elizabeth, weet u zeker dat het de dertiende was? Ik heb een weddenschap met een vriend aangegaan en ik wil mijn geld liever niet verliezen. Weet u heel zeker dat hij hier woensdagnacht heeft geslapen? Ik had kunnen zweren dat het donderdag was.'

'Nee, meneer, het was woensdag, want ik herinner me nog dat de mannen in de gelagkamer over de moord praatten en dat ik het meneer Grimethorpe de volgende dag heb verteld.'

'En wat zei meneer Grimethorpe ervan?'

'Nee maar,' riep de jonge vrouw uit, 'wat wonderlijk dat u daarnaar vraagt! Iedereen merkte hoe vreemd hij zich gedroeg. Hij werd zo wit als een doek en keek naar allebei zijn handen, een voor een, en toen streek hij zijn haar uit zijn voorhoofd - net alsof hij helemaal van zijn stuk was. We dachten dat de drank hem dwars zat.'

'Nou, ik geloof dat ik mijn geld kwijt ben. O ja, hoe laat ging meneer Grimethorpe naar bed?'

'Tegen twee uur in de morgen,' zei het meisje. 'Hij was buitengesloten en Jem moest naar beneden om hem binnen te laten.'

'O ja?' zei Peter. 'Twee uur is donderdag, nietwaar? Daar zal ik uit alle macht aan vasthouden. Dank u buitengewoon. Dat is alles wat ik wou weten.'

'Ik ben u buitengewoon dankbaar, meneer Watchett,' zei hij. 'Ik wil nog even een woordje met Jem wisselen. En nogmaals: zegt u niets.'

'Ik niet,' zei Watchett, 'ik weet waar het om gaat. Veel succes, my lord.'

Jem bevestigde de verklaring van Bet. Grimethorpe was op 14 oktober om ongeveer 1.50 uur in de nacht dronken teruggekomen, besmeurd met modder. Hij had iets gemompeld dat hij tegen een man, genaamd Watson, was opgelopen.

Vervolgens werd de stalknecht ondervraagd. Hij was van mening, dat niemand 's nachts een paard kon nemen en zijn stal uit rijden, zonder dat hij ervan wist. Hij kende Watson. Hij was voerman van zijn vak en woonde in Windon Street. Lord Peter begaf zich naar Windon Street.

Maar het verhaal van zijn onderzoekingen zou eentonig worden. Om kwart voor twaalf voegde hij zich bij Bunter, die bij het rotsblok stond.

'En heb je succes gehad?'

'Ik heb bepaalde inlichtingen gekregen, my lord, die ik heb genoteerd.'

Zij begaven zich naar de Rose and Crown. Nadat hun een afzonderlijke kamer was gegeven en zij hun lunch hadden besteld, gingen zij ertoe over het volgende schema op te stellen:

Plaatsen waar Grimethorpe geweest, is. Woensdag, 13 oktober tot donderdag, 14 oktober:

13 oktober:

12.30 v.m. Komt in Rose and Crown aan.

1.0 n.m. Luncht.

3.0 n.m. Bestelt twee drilboren bij een man, Gooch genaamd, in Trimmer's Lane.

4.30 n.m. Drinkt met Gooch om de koop te bezegelen.

5.0 n.m. Bezoekt huis van voerman John Watson over bezorging van hondenvoer. Watson afwezig. Mevr. Watson zegt dat W. 's avonds thuis verwacht wordt. G. zegt dat hij terugkomt.

5.30 n.m. Bezoekt Mark Dollby, kruidenier, om te klagen over zalm in blik.

5.45 n.m. Bezoekt Hewitt, opticien, om rekening voor bril te betalen en te kibbelen over prijs.

6.0 n.m. Drinkt met Zedekiah Bone in de Bridge and Bottle.

6.45 n.m. Belt weer bij mevr. Watson aan. Watson nog niet thuis.

7.0 n.m. Door politie-agent Z 15 in de Pig and Whistle gezien, drinkend met verschillende mannen. Uitte dreigende taal over een onbekende.

7.20 n.m. Gezien bij het verlaten van de Pig and Whistle met twee mannen (nog niet geïdentificeerd).

14 oktober:

1.15 v.m. Door voerman Watson opgepikt 1½ km op weg naar Riddlesdale, erg smerig, slecht gehumeurd en licht aangeschoten.

1.45 v.m. In de Rose and Crown binnengelaten door James Johnson, kelner.

9.0 v.m. Gewekt door Elizabeth Dobbin.

9.30 v.m. In gelagkamer Rose and Crown. Hoort over moord in Riddlesdale. Gedrag verdacht.

10.15 v.m. Int cheque van 129 pond 17 shilling en 8 pence bij Lloyd's Bank.

10.30 v.m. Betaalt Gooch drilboren.

11.05 v.m. Vertrekt van Rose and Crown naar Grider's Hole.

Lord Peter bleef hier even naar kijken en wees met zijn vinger naar de grote gaping van zes uur na 7.20 uur.

'Hoe ver is het naar Riddlesdale, Bunter?'

'Ongeveer twintig kilometer, my lord.'

'En het schot is om 10.55 uur gehoord. Je zou het niet te voet kunnen doen. Heeft Watson verklaard waarom hij pas om twee uur 's morgens van zijn ronde is thuisgekomen?'

'Ja, my lord. Hij zei dat hij had gedacht om ongeveer elf uur terug te zijn, maar zijn paard verloor tussen King's Fenton en Riddlesdale een hoef. Hij moest het toen langzaam naar Riddlesdale laten lopen - ongeveer vijf kilometer - waar hij om tien uur aankwam en de smid wakker maakte. Hij ging naar de Lord in Glory en bleef daar tot sluitingstijd. Daarna ging hij met een kennis naar diens huis en dronk nog wat. Om 12.40 uur ging hij op weg naar huis en pikte Grimethorpe na ongeveer anderhalve kilometer op, vlakbij de kruising.'

'Dat lijkt heel aannemelijk. De smid en die kennis zouden het even moeten bevestigen, maar we moeten beslist die mannen van de Pig and Whistle vinden.'

'Ja, my lord, ik zal het na de lunch nog eens proberen.'

De lunch was goed. Maar daarmee scheen hun geluk voor die dag ook uitgeput te zijn, want om drie uur hadden ze de mannen nog niet opgespoord en ze schenen ver van het doel te zijn.

Wilkes, de tuinknecht, leverde echter ook een bijdrage tot het onderzoek. Hij had bij zijn lunch iemand uit King's Fenton ontmoet en ze waren natuurlijk aan 't praten geraakt over de geheimzinnige moord in het jachthuis. De vreemde had gezegd dat hij een oude man kende, die in een hut op de Fell woonde en die gezegd had dat hij in de nacht van de moord een man over Whemmeling Fell had zien lopen. Het was in het holst van de nacht geweest.

'En ik dacht opeens dat dat wel eens zijne hoogheid had kunnen zijn,' zei Wilkes levendig.

Verdere onderzoekingen brachten aan het licht, dat de oude man Groot heette en dat Wilkes lord Peter en Bunter gemakkelijk bij het begin van het schapenpad, dat naar de hut leidde, kon afzetten.

Zo gebeurde het, dat lord Peter en Bunter om tien voor vier aan het begin van het pad uit het wagentje stapten, Wilkes wegstuurden en vervolgens rechtstreeks naar het hutje aan de rand van de hoogte gingen.

De oude man was vreselijk doof. Na een ondervraging van een half uur was men nog niet veel wijzer geworden. Nadat ze Groot een halve crown hadden gegeven, stonden ze even na vijven op de hei.

'Bunter,' zei lord Peter, 'ik ben ab-so-luut zeker dat de sleutel voor deze hele geschiedenis op Grider's Hole te vinden is.'

'Dat is zeer goed mogelijk, my lord.'

Lord Peter wees in zuidoostelijke richting. 'Daar ligt Grider's Hole,' zei hij. 'Vooruit!'

'Uitstekend, my lord.'

En zo, als twee onnozele stadsmensen, stapten lord Peter en Bunter kwiek langs het oude heidepad naar Grider's Hole, zonder een ogenblik om te kijken naar de grote, witte dreiging, die in de novemberschemering geluidloos neerdaalde uit de wijde verlatenheid van Whemmeling Fell.

'Bunter!'

'Hier ben ik, my lord!'

De stem klonk dichtbij zijn oor.

'God zij dank! Ik dacht dat je voorgoed verdwenen was. Zeg, dat hadden we moeten weten!'

'Ja, my lord.'

Het had hen van achteren met één slag overvallen,

133

dik, koud, verstikkend - en het maakte hen voor elkaar onzichtbaar, ofschoon ze niet meer dan een meter van elkaar verwijderd liepen.

Peter tastte naar rechts en pakte de mouw van de ander vast.

'Ha! Wat doen we nu?'

'Dat weet ik niet, my lord. Ik heb er geen ervaring in. Heeft dit verschijnsel ook speciale eigenschappen, my lord?'

'Geen vaste gewoonten, geloof ik. Soms is het beweeglijk, maar het blijft ook wel eens dagenlang op dezelfde plaats hangen. We kunnen de hele nacht blijven wachten en zien of het tegen de dageraad wegtrekt.'

'Ja, my lord. Het is jammer genoeg nogal vochtig.'

'Nogal, wat je zegt,' stemde Wimsey met een lachje toe.

'Als we naar het zuidoosten lopen,' zei Wimsey, 'moeten we bij Grider's Hole komen en dan zullen ze waarachtig wel verplicht zijn om ons onderdak te geven - of een gids. Ik heb m'n zaklantaarn bij me en je kunt het kompas gebruiken - ach.'

'Wat is er, my lord?'

'Ik heb de verkeerde stok bij me. Die ellendige knuppel! Geen kompas; Bunter, we zitten in de val.'

'Zouden we niet gewoon steeds door naar beneden kunnen lopen, my lord?'

Lord Peter aarzelde. Herinneringen aan wat hij had gehoord en gelezen gingen door hem heen en zeiden hem, dat heuvelopwaarts of -afwaarts er weinig toe deed in een mist. Het was ijzig koud. 'We zouden het kunnen proberen,' zei hij zwakjes.

'Ik heb wel eens horen zeggen, my lord, dat je in de mist altijd in een kring loopt,' zei Bunter, door een laat wantrouwen overvallen.

'Toch zeker niet op een heuvel,' zei lord Peter, die uit pure weerbarstigheid moedig begon te worden.

Bunter, die uit zijn element was, had nu eens geen goede raad te bieden.

'Enfin, erger dan het nu is kan het niet worden,' zei lord Peter. 'We zullen het proberen en ondertussen roepen.'

Hij greep de hand van Bunter. Ze liepen voorzichtig verder door de dikke, koude mist.

Hoe lang die nachtmerrie duurde, had geen van beiden kunnen zeggen. De wereld om hen heen had uitgestorven kunnen zijn. Hun eigen kreten verschrikten hen. Als ze ophielden met roepen, was de dodelijke stilte nog angstwekkender. Ze struikelden over dikke bossen hei. Het was verwonderlijk hoe buitensporig groot de oneffenheden van de grond hun leken, nu ze niet over hun gezichtsvermogen beschikten. Ze stelden niet veel vertrouwen in het onderscheid, dat ze tussen heuvelop en heuvelaf konden maken. Ze waren koud tot op hun botten, maar toch liep door inspanning en angst het zweet van hun gezicht.

Plotseling, naar het scheen op slechts een paar meter voor hen uit, weerklonk een lange, afschuwelijke kreet, en toen nog een en nog een.

'Wat is dat?'

'Het is een paard, my lord.'

'Natuurlijk.' Zij herinnerden zich, dat zij paarden wel eens zo hadden horen schreeuwen.

'Arm dier,' zei Peter. Hij liet de hand van Bunter los en deed snel een paar stappen in de richting van het geluid.

'Kom terug, my lord,' riep Bunter uit, eensklaps ontzettend bang. Toen, met een plotselinge, angstige ingeving: 'Om godswil! Sta stil, my lord - het moeras!'

Een schelle kreet in de diepe duisternis.

'Blijf uit de buurt - beweeg je niet - het heeft me te pakken!'

En een vreselijk zuigend geluid.

hoofdstuk 12

'IK BEN ER PARDOES INGESTAPT,' zei Wimsey met vaste stem vanuit de duisternis. 'Je zinkt heel snel. Kom maar niet dichterbij, anders ga je er ook aan. We zullen een beetje gillen. Ik geloof, dat we niet zo heel ver van Grider's Hole kunnen zijn.'

'Als uw lordschap blijft roepen,' antwoordde Bunter, 'denk ik - dat ik- bij u kan komen,' hijgde hij, terwijl hij met zijn tanden een touw uit de knoop trok.

'Hoi!' schreeuwde lord Peter gehoorzaam. 'Help! Hoi! Hoi!'

Bunter liep tastend naar de stem en voelde voorzichtig met zijn wandelstok voor zich uit.

'Ik had liever dat je uit de buurt bleef, Bunter,' zei lord Peter gemelijk. 'Wat heeft het voor zin, als wij allebei . . . ?'

Er klonk weer een zuigend en spartelend geluid.

'Doet u dat toch niet, my lord,' riep de man smekend. 'Anders zakt u er nog verder in.'

'Het staat nu al tot mijn dijen,' zei lord Peter.

'Ik kom,' zei Bunter. 'Blijft u roepen. Aha, hier wordt het drassig.'

Hij bevoelde de grond voorzichtig, koos een begroeid plekje, dat tamelijk stevig scheen en dreef zijn stok er een eind in.

'Hoi! Hi! Help!' schreeuwde lord Peter krachtig.

Bunter bond één eind van het touw aan de wandelstok, snoerde zijn regenjas strak om zich heen en terwijl hij voorzichtig op zijn buik ging liggen, schoof hij met het touw in de hand vooruit.

De modder borrelde vreselijk, terwijl hij eroverheen kroop en slijmerig water spatte tot in zijn gezicht. Hij voelde met zijn handen naar pollen gras en vond daar steun in.

'Roept u weer, my lord!'

'Hier!' De stem klonk zwakker en kwam van rechts. Bunter, tastend naar plukken gras, was een weinig uit zijn richting geraakt. 'Ik durf niet sneller te gaan,' verklaarde hij. Hij had het gevoel, dat hij al jaren aan het kruipen was.

'Uw handen.'

Gedurende een paar verschrikkelijk angstige minuten tastten twee paren handen over de onzichtbare modder. Toen:

'Houdt u uw handen stil,' zei Bunter. Hij maakte een langzame, draaiende beweging. Het was een zwaar karwei om het gezicht uit de modder te houden. Zijn handen glibberden over de smerige oppervlakte - en sloten zich plotseling om een arm.

'Goddank!' zei Bunter. 'Houdt u zich hier vast, my lord.'

Hij tastte voor zich uit. De armen waren gevaarlijk dicht bij de zuigende modder. De handen grepen langs zijn armen naar boven en bleven op zijn schouders rusten. Hij greep Wimsey onder de oksels en hijgde. Door de inspanning drongen zijn eigen knieën dieper in het moeras. Zonder zijn knieën te gebruiken kon hij niets bereiken, maar ze te gebruiken, betekende een zekere dood.

'U moet blijven roepen, my lord.'

Wimsey riep. Zijn stem was zwak en vaag.

'Waar is uw stok eigenlijk gebleven, my lord?'

'Die heb ik laten vallen. Hij moet ergens vlakbij zijn, als hij niet gezonken is.'

Bunter maakte behoedzaam zijn linkerhand los en voelde om zich heen.

'Hi! Hi! Help!'

Bunters hand sloot zich om de stok, die door een gelukkig toeval over een vaste pol gras was gevallen. Hij trok hem naar zich toe en legde hem over zijn armen, zodat hij er juist zijn kin op kon steunen. Voor het ogenblik was dit zulk een geweldige verlichting voor zijn nek, dat hij nieuwe moed vatte. Hij had het gevoel dat hij wel eeuwig zo kon blijven liggen.

'Help!'

Minuten gingen voorbij als uren.

'Zie je dat?'

Een zwak, flikkerend schijnsel ergens rechts in de verte. Ze begonnen beiden wanhopig te schreeuwen.

'Help! Help! Hoi! Hoi! Help!'

Een gil als antwoord. Het licht zwaaide - kwam naderbij - een groter wordende vlek in de mist.

'We *moeten* volhouden,' hijgde Wimsey. Ze gilden weer.

'Waar zit je?'

'Hier!'

'Hallo!' Een pauze. Toen:

'Hier is een stok,' zei een stem, eensklaps vlakbij.

'Volg het touw!' gilde Bunter. Ze hoorden twee stemmen, die blijkbaar met elkaar redetwistten. Toen werd er aan het touw getrokken.

'Hier! Hier! We zijn met ons tweeën! Maak voort!'

'Hou je vast. Kan je?'

'Ja, als je voortmaakt.'

'We halen een houten hekje. Met z'n tweeën, zeg je?'

'Ja.'

'Diep?'

'Een van ons tweeën.'

'Goed. Jem komt eraan.'

Een plassend geluid kondigde de komst van Jem met een houten hekje aan. Hierop volgde een eindeloos wachten. Toen nog een hekje, een ruk aan het touw en de heftig slingerende lichtvlek van de lantaarn. Vervolgens werd er een derde hekje neergeworpen en doemde het licht plotseling uit de mist op. Een hand greep Bunter bij de enkel.

'Waar is de ander?'

'Hier - bijna tot aan zijn nek. Heb je een touw?'

'Ja zeker. Jem! Het touw!'

Het touw schoot als een slang uit de mist. Bunter greep het en deed het om het lichaam van zijn meester.

'Nou terugkomen en hijsen!'

Bunter krabbelde voorzichtig achteruit op het hekje. Alle drie pakten het touw beet. Het leek op een poging om de aarde uit haar baan te rukken.

Eensklaps, met een hevig *plop!* liet het moeras zijn prooi los. De drie mannen aan het touw rolden over elkaar op de hekken. Een onherkenbaar, bemodderd iets lag plat neer, hulpeloos hijgend. Met een soort razernij trokken ze eraan, alsof het hun weer ontrukt kon worden. De kwalijke moeraslucht steeg dik om hen op. Ze liepen over het eerste hekje, het tweede, het derde - en rezen wankelend overeind met vaste grond onder hun voeten.

De herinnering aan zijn binnenkomst die nacht in de boerderij van Grider's Hole bleef voor lord Peter altijd iets van een nachtmerrie behouden. De mistslierten dreven met hen naar binnen, toen de deur openging. Door de mist leek het haardvuur te stomen. Een hanglamp tekende een vlek.

Stemmen - stemmen - talloze wilde gezichten, die van alle kanten op hem neer keken.

Grimethorpe wendde zich naar Bunter om: 'Maak dat je wegkomt, zeg ik je! Je bent niks goeds van plan.'

'Kom nou, kom nou,' zei een man, in wie Wimsey vaag de man herkende, met wie hij tijdens zijn vorig bezoek op goede voet was geraakt, 'je moet ze vannacht wel hier houden, anders krijg je last met die lui van het jachthuis, afgezien van de politie. Als die vent hier kwam om kwaad te doen, heeft hij het al gedaan - maar aan zichzelf. Die haalt vannacht niks meer uit - kijk maar eens naar hem. Leg hem bij het vuur, man,' zei hij tegen Bunter. Toen wendde hij zich weer tot de boer: 'Je zou in een raar parket komen, als hij aan longontsteking of reumatiek stierf.'

Dat argument scheen Grimethorpe ten dele te overtuigen. Hij maakte mopperend plaats en de twee door en door koude en uitgeputte mannen werden bij het vuur gelaten. Iemand bracht hun twee grote, dampende glazen met sterke drank. Wimsey scheen even geestelijk helderder te worden, maar al gauw voelde hij zich weer duizelig en dronken.

Later merkte hij dat hij naar boven werd gebracht en in bed gelegd. Een grote ouderwetse kamer met een open haardvuur en een reusachtig, lelijk ledikant met een hemel. Bunter hielp hem uit zijn doorweekte kleren en wreef hem af. Nu en dan verscheen er een andere man om hem te helpen.

Toen Wimsey zijn ogen weer opende, deed een bleke novemberzon pogingen om door het raam te schijnen. Het scheen dat de mist zijn taak had volbracht en verdwenen was. Hij bleef even liggen, zonder precies te weten hoe hij daar gekomen was; toen begon zijn herinnering weer vorm te krijgen. Hij bevoelde zich oppervlakkig en merkte dat er een gekneusde plek was onder zijn oksels en dat ook zijn borst en rug gevoelig waren, waar het reddende touw hem had gekneld. Iedere beweging deed hem pijn. Daarom ging hij weer achterover liggen.

Even later ging de deur open en kwam Bunter binnen, keurig aangekleed. Hij droeg een blad, waarvan heerlijke geuren van ham en eieren opstegen.

'Hallo, Bunter.'

'Goede morgen, my lord! Bent u goed uitgerust?'

'Dank je wel, ik ben zo fris als een hoentje. En hoe is het met jou?'

'Mijn armen zijn lichtelijk vermoeid; dank u, my lord. Overigens verheugt het me te kunnen zeggen, dat de tegenspoed geen enkel spoor bij me heeft achtergelaten. Alstublieft my lord.'

Hij zette het blad voorzichtig op lord Peters knieën.

'Ze moeten wel uit de kom gerukt zijn,' zei Wimsey, 'doordat je me zo afschuwelijk lang hebt moeten ophouden. Ik sta al zo vreselijk diep bij je in de schuld, Bunter, het heeft geen zin om te proberen, het je te vergelden. In ieder geval, je weet dat ik het niet zal vergeten, hè? Hebben ze je een behoorlijke slaapplaats gegeven? Ik scheen gisteravond niet in staat te zijn om ergens op te letten.'

'Ik heb uitstekend geslapen, dank u, my lord.' Bunter wees op een soort harmonikabed in een hoek van de kamer. 'Ze wilden me wel een andere kamer geven, maar onder deze omstandigheden verkoos ik bij u te blijven, in het vertrouwen dat u mij mijn vrijmoedigheid zou vergeven. Ik heb ze gezegd dat ik vreesde voor de gevolgen, die de langdurige onderdompeling voor uw gezondheid zou hebben. Bovendien was ik niet gerust over de plannen van Grimethorpe.'

'Nou, Bunter, ik denk dat ik maar eens opsta. Ik geloof niet dat we hier erg welkom zijn. De blik in de ogen van onze gastheer gisteravond beviel me helemaal niet.'

'Nee, my lord. Hij had er nogal wat op tegen dat u naar deze kamer werd gebracht.'

'Waarom? Wiens kamer is het dan?'

'Van hem en mevrouw Grimethorpe, my lord. Die leek het geschiktst, omdat er een haardvuur was en een opgemaakt bed. Mevrouw Grimethorpe was heel vriendelijk, my lord. En die Jake maakte Grimethorpe erop attent dat het hem wel eens een financieel voordeeltje zou kunnen opleveren, als hij uw lordschap behoorlijk behandelde.'

'Ik heb ontzettende zin in een heet bad. En hoe staat het met scheerwater?'

'Dat kan ik uit de keuken halen, my lord.'

Bunter stapte weg en lord Peter liep, na onder veel gegrom en gekreun een hemd en broek te hebben aangetrokken, naar het venster. Zoals gewoonlijk bij buitenmensen, was het stevig gesloten en was er een stuk papier tussen gestopt om de haak niet te laten klepperen. Hij nam de prop weg en duwde de haak open. De wind kwam binnendartelen, bezwangerd met hei- en turfgeuren.

Lord Peter stond daar een paar minuten, met vage gevoelens van dankbaarheid voor het leven. Toen ging hij van het raam weg en kleedde zich verder aan. Hij hield de prop papier nog in zijn hand en wou het ding juist in het vuur gooien, toen zijn oog op een woord viel. Hij streek het papier glad. Terwijl hij las, trok hij zijn wenkbrauwen op en kwam er een grappige, begrijpende trek om zijn mond. Toen Bunter terugkwam, zag hij zijn meester als aan de grond genageld staan, met het papier in de ene hand en een sok in zijn andere.

Bunter liep naar hem toe, een toonbeeld van eerbiedige belangstelling.

'Kijk eens - kijk eens!' zei Wimsey. 'Het stak in de vensterlijst, waar iedereen het kon vinden! Net iets voor Jerry! Hij zet er zijn naam in koeien van letters onder, laat het slingeren en verdwijnt dan om een ridderlijk stilzwijgen te bewaren.'

Bunter nam het papier aan.

Het was de vermiste brief van Tommy Freeborn.

Er was geen twijfel mogelijk. Daar had je het bewijs, dat de waarheid van Denvers verklaring bevestigde. Nog sterker - het bevestigde zijn alibi gedurende de nacht van 13 oktober.

Niet Cathcart - Denver.

Het was Denver, die voorgesteld had dat het jachtgezelschap in oktober naar Riddlesdale terug zou gaan, waar het jachtseizoen in augustus was geopend. Denver was om half twaalf haastig het huis uit geslopen en drie kilometer door het land gelopen, in de nacht dat Grimethorpe van huis was om gereedschap te kopen. Denver had in een stormachtige nacht achteloos een rammelende haak vastgezet met een belangrijke brief, waarin iedereen zijn titel kon lezen. Denver was om drie uur in de nacht naar huis gestapt, als een kater, die van een liefdesavontuur terugkeert. Bij de serre was hij over het dode lichaam van zijn gast gestruikeld. Denver - die met zijn vriendelijke, domme Engelse gentleman-ideeën over eer liever koppig de gevangenis in ging, dan zijn advocaat te zeggen waar hij geweest was. Denver - die rustig de logge machinerie van een rechtszitting in het Hogerhuis op gang liet komen om de reputatie van een vrouw te redden.

Wimseys avontuur in het moeras had zijn zenuwen van streek gebracht. Hij ging op het bed zitten lachen terwijl de tranen langs zijn gezicht stroomden.

Bunter was sprakeloos. Zwijgend kwam hij met een scheermes aanzetten, - en nooit heeft Wimsey geweten, waar hij het zo gauw vandaan had gehaald - dat hij peinzend in zijn handpalm begon aan te zetten.

Terwijl Bunter hem schoor, bewaarde hij het stilzwijgen.

Het onderhoud, dat lord Peter voor de boeg had, was van kiese aard; hoe men de toestand ook bekeek, prettig was die niet. Hij was zijn gastvrouw tot grote dank verplicht; anderzijds was de positie van Denver van die aard, dat overwegingen van bijkomstig belang het veld moesten ruimen. Desondanks had Wimsey zich nog nooit zo'n ploert gevoeld als toen hij de trap af liep in Grider's Hole. In de grote keuken trof hij een gezette boerenvrouw aan, die in een pot aan 't roeren was. Hij vroeg naar meneer Grimethorpe en kreeg te horen, dat deze uit was gegaan.

'Kan ik dan mevrouw Grimethorpe spreken?'

De vrouw keek hem weifelend aan.

'Waar is mevrouw Grimethorpe?'

'In het melkhuis, geloof ik.'

'Dan ga ik wel naar haar toe,' zei Wimsey, terwijl hij vlug naar buiten stapte. Hij liep over de stenen vloer van de bijkeuken en door de hof, en zag mevrouw Grimethorpe nog juist uit een donker deurgat aan de overkant komen. Zo omlijst en met het bleke zonlicht, dat haar stil, doodsbleek gelaat en zwaar, donker haar even bescheen, was ze mooier dan ooit. Er was geen spoor van Yorkshire-afkomst in de lange, donkere ogen en de buiging van haar lippen te bekennen. De lijnen van neus en jukbeenderen duidden op een zeer exotische herkomst; zoals zij daar uit de duisternis kwam, leek het alsof zij zo juist was verrezen uit haar verre graftombe in de piramiden en de uitgedroogde welriekende graflinten uit haar vingers had laten glijden.

Lord Peter vermande zich.

'Uitheems,' zei hij nuchter tegen zichzelf. 'Een tikje Joods of Spaans bloed, een merkwaardig type.'

Hij liep snel op haar toe.

'Goeie morgen,' zei ze. 'Bent u weer beter?'

'Weer volkomen in orde, dank - dank zij uw vriendelijkheid, waarvan ik niet zou weten hoe ik haar moest vergelden.'

'Als u een vriendelijkheid wilt vergelden, kunt u dat het best doen door meteen weg te gaan,' antwoordde zij met haar dromerige stem. 'Mijn man houdt niet van vreemden en uw eerste ontmoeting met hem is niet gelukkig geweest.'

'Ik zal direct weggaan. Maar ik wou eerst om de gunst vragen, een woordje met u te mogen spreken.' Hij gluurde langs haar heen in het schemerige melkhuis. 'Daarbinnen, misschien?'

'Wat wilt u van me?'

Zij deed echter een stap achteruit en stond hem toe haar naar binnen te volgen.

'Mevrouw Grimethorpe, ik ben in een hoogst pijnlijke positie. U weet dat mijn broer, de hertog van Denver, in de gevangenis zit, in afwachting van zijn berechting wegens een moord, die in de nacht van de 13e oktober heeft plaatsgevonden?'

Haar gezicht veranderde niet. 'Dat heb ik gehoord.'

'Hij heeft nadrukkelijk geweigerd te verklaren waar hij die nacht tussen elf en drie uur is geweest. Door zijn weigering heeft hij zich in groot levensgevaar gebracht.'

Ze keek hem vast aan.

'Hij acht zich aan zijn eer verplicht, niet te onthullen waar hij geweest is, ofschoon ik weet, dat indien hij sprak, hij een getuige zou kunnen noemen, die hem van alle blaam zou zuiveren.'

'Hij schijnt een heel achtenswaardig man te zijn.' De koele stem trilde licht en werd toen weer vast.

'Ja. Van zijn standpunt gezien handelt hij ongetwijfeld juist. Maar u zult wel begrijpen dat ik, als zijn broer, natuurlijk verlangend ben om de zaak in het juiste licht te stellen.'

'Ik begrijp niet waarom u me dat allemaal vertelt. Ik vermoed, dat als het iets oneervols is, hij niet wil dat het bekend wordt.'

'Kennelijk. Maar voor ons zijn zijn leven en veiligheid zaken van het hoogste gewicht.'

'Van meer gewicht dan zijn eer?'

'Het geheim is in zekere zin oneervol en zal zijn familie pijnlijk treffen. Maar het zou een oneindig grotere schande zijn, als hij wegens moord werd terechtgesteld. De schande van de waarheid zal, naar ik vrees, in onze zeer onrechtvaardige maatschappij meer neerkomen op de getuige die zijn alibi kan bewijzen dan op hemzelf.'

'Kunt u dan verwachten dat de getuige zich bloot-geeft?'

'Om de veroordeling van een onschuldige te voorkomen? Ja, ik geloof dat ik zelfs dat mag verwachten.'

'Nog eens - waarom vertelt u me dat allemaal?'

'Omdat, mevrouw Grimethorpe, u nog beter dan ik

144

weet hoe onschuldig mijn broer aan die moord is. Gelooft u me, het doet me diep leed dat ik deze dingen tegen u .moet zeggen.'

'Ik weet niets. En als de hertog niet wil spreken, moet u zijn motieven eerbiedigen.'

'Ik had gehoopt dat we het met uw hulp over de een of andere verklaring eens zouden kunnen worden - niet de volle waarheid misschien, maar voldoende om mijn broer te zuiveren. Zoals de zaak nu staat, vrees ik dat ik het bewijs dat ik in handen heb zal moeten overleggen en verder de dingen op hun beloop laten.'

'Wat bedoelt u met bewijs?'

'Ik kan bewijzen dat mijn broer in de nacht van de 13e in de kamer heeft geslapen, waar ik de afgelopen nacht heb doorgebracht,' zei Wimsey.

Ze huiverde even. 'Dat is een leugen. Dat kunt u niet bewijzen.'

'Hoe komt het dan, dat dit tussen het kozijn van het slaapkamerraam zat geklemd?'

Toen zij de brief zag, begaf haar geestkracht haar.

'Is het waar - was hij hier die nacht?'

'Dat weet u toch.'

'Wanneer is hij gekomen?'

'Om kwart over twaalf.'

'Wie heeft hem binnengelaten?'

'Hij had de sleutels.'

'Wanneer is hij van u weggegaan?'

'Even over tweeën.'

'Ja, dat klopt precies. Drie kwartier heen en drie kwartier terug. Hij heeft dit zeker in het raam gestoken om te voorkomen dat het rammelde, nietwaar?'

'Er stond een sterke wind - ik was zenuwachtig. Ik dacht bij ieder geluid dat mijn man thuiskwam.'

'Waar was uw man?'

'In Stapley.'

'Had hij er een vermoeden van?'

'Ja, al een poosje.'

'Sinds mijn broer hier in augustus is gekomen?'

'Ja. Maar hij kon geen bewijs krijgen. Als hij een bewijs had gehad, zou hij me vermoord hebben. U hebt hem gezien. Hij is een duivel.'

Wimsey zweeg. De vrouw keek angstig naar zijn gezicht.

'Als u me als getuige oproept,' zei ze, 'komt hij het te weten. En dan vermoordt hij me zeker. Heb medelijden.'

'Het spijt me buitengewoon voor u en als ik mijn broer eruit kan krijgen zonder u in moeilijkheden te brengen, dan zal ik het doen, dat beloof ik u. Maar u ziet wel hoe moeilijk dat is. Waarom verlaat u die man niet?'

'De wet werkt langzaam. Dacht u dat hij me inmiddels in leven zou laten?'

'Ik zal u dit beloven, mevrouw Grimethorpe. Ik zal alles doen om te voorkomen dat u moet getuigen. Maar als er geen andere weg is, zal ik ervoor zorgen dat u politiebescherming krijgt van het ogenblik af, waarop u wordt gedagvaard.'

'En mijn verdere leven?'

'Als u eenmaal in Londen bent, zullen we ervoor zorgen dat u van die man wordt bevrijd.'

Wimsey keerde zich om. Haar verschrikte ogen hadden de schaduw over de drempel zien komen. Grimethorpe stond in de deur en keek dreigend naar hen.

'Aha, meneer Grimethorpe,' riep Wimsey opgewekt uit, 'bent u daar? Prettig u te zien en wel bedankt, dat u me onderdak hebt gegeven. Ik heb dat juist al tegen mevrouw Grimethorpe gezegd en haar gevraagd of ze u van mij wilde groeten. Bunter en ik zijn u allebei enorm dankbaar voor al uw vriendelijkheid.'

'Dag, mevrouw Grimethorpe, duizend maal bedankt!'

Hij haalde Bunter op, beloonde zijn bevrijders behoorlijk, nam hartelijk afscheid van de woedende boer en vertrok, met een pijnlijk lichaam en een wanhopig piekerende geest.

hoofdstuk 13

'Goddank,' zei Parker. 'Daarmee is de zaak rond.'

'Ja en nee,' antwoordde lord Peter. Hij leunde peinzend achterover tegen het dikke zijden kussen in de hoek van de sofa.

'Natuurlijk is het onaangenaam dat we die vrouw moeten verraden,' zei Parker verstandig en hartelijk, 'maar die dingen moeten nu eenmaal gebeuren.'

'Weet je wat ik nu wel eens zou willen weten, Charles? Wie Cathcart eigenlijk heeft afgemaakt. Juridisch is het genoeg om te bewijzen dat Jerry onschuldig is. Als broer ben ik voldaan - ik mag wel zeggen opgelucht - maar als speurder ben ik verslagen.'

'Maar je hebt die brief.'

'Ja. Maar hoe moeten we bewijzen, dat die daar op die avond is gekomen? De envelop is vernietigd. Fleming herinnert zich er niets van. Jerry had hem wel dagen eerder kunnen ontvangen. Of het zou een volkomen vervalsing kunnen zijn. Wie kan zeggen, dat ik hem niet zelf in het raam heb gestoken en net gedaan alsof ik hem daar vond?'

'Bunter heeft gezien dat je hem vond.'

'Nee, Charles. Juist op dat ogenblik was hij de kamer uit. Bovendien kan alleen mevrouw Grimethorpe het enige punt bezweren, waar het op aankomt - het ogenblik van Jerry's komst en vertrek.'

'Tja,' zei Parker, 'kunnen we mevrouw Grimethorpe niet achter de hand houden, om zo te zeggen - en inmiddels ons best doen om de werkelijke misdadiger te vinden?'

'O ja,' zei lord Peter, 'en dat brengt me op een gedachte. Ik heb in de Lodge een ontdekking gedaan - dat geloof ik tenminste. Heb je gezien dat iemand een van de studeerkamerramen heeft geforceerd?'

'Nee. Heus?'

'Ja, ik heb duidelijke sporen gevonden. Natuurlijk was het pas een hele tijd na de moord, maar er waren krassen op de wervel - alsof ze door een pennemes waren gemaakt.'

'Wat stom dat we daar indertijd geen onderzoek naar ingesteld hebben!'

'Alles goed en wel, maar waarom zouden we? In ieder geval heb ik er Fleming naar gevraagd en hij zei, dat hij nu hij erover nadacht, zich inderdaad herinnerde dat hij die donderdagmorgen op onverklaarbare wijze het raam open had gevonden. En dan is er nog iets. Ik heb een brief gehad van mijn vriend Tim Watchett. Hier heb je hem:

My lord. - Naar aanleiding van ons gesprek. Ik heb een Man gevonden, die op de avond van de 13e oktober met de Persoon in kwestie in de Pig and Whistle was en hij vertelt me, dat de Persoon zijn fiets heeft geleend en dat deze naderhand in de greppel, waaruit de Persoon is opgepikt, werd teruggevonden met verbogen Handvatten en gedeukte wielen.

Mij duurzaam in Uw hoge gunst aanbevelend,
TIMOTHY WATCHETT

'Wat denk je daarvan?'

'Goed genoeg om op in te gaan,' zei Parker.

Wimsey haalde zijn notitieboekje tevoorschijn en begon achteloos de blaadjes om te slaan. Hij wierp oude brieven in het vuur, vouwde memoranda open en dicht en bekeek een bonte reeks visitekaartjes van andere mensen. Tenslotte kwam hij aan het stukje vloeipapier uit de studeerkamer in Riddlesdale, aan welks fragmentarische kenmerken hij sindsdien nauwelijks een gedachte had gewijd. Opeens riep hij met de luide stem van iemand, wie eensklaps iets volkomen duidelijk is geworden:

'*Manon Lescaut!*'

'Hè?' zei Parker.

'We zijn aan het piekeren geweest over Jerry en over Mary, we hebben op Goylesen en Grimethorpes gejaagd en God weet wie nog meer - en al die tijd had ik dit stukje papier in mijn zak. Maar Manon, Manon! Charles, als ik maar zoveel hersens als een houtluis had, had dat

148

boek mij de hele geschiedenis moeten vertellen. Bedenk eens, wat ons dan bespaard was gebleven!'

'Ik wou dat je niet zo opgewonden deed,' zei Parker. 'Ik begrijp dat het hoogst plezierig voor je is, dat je de dingen zo duidelijk inziet, maar ik heb *Manon Lescaut* nooit gelezen en je hebt me het vloeipapier niet laten zien. Ik heb er niet het flauwste idee van, wat je nu eigenlijk hebt ontdekt.'

Lord Peter overhandigde hem het kostbare stuk zonder een woord.

'Ik zie,' zei Parker, 'dat het papier tamelijk verkreukeld en smerig is en dat het vreselijk naar tabak en Russisch leer ruikt. Daaruit maak ik op, dat je het in je zakboekje hebt bewaard.'

'Nee!' zei Wimsey ongelovig. 'En dat terwijl je me het eruit hebt zien nemen! Holmes, hoe speel je dat klaar?'

'Bij één hoek,' vervolgde Parker, 'zie ik twee vlekken, de ene iets groter dan de andere. Ik denk dat daar iemand een pen moet hebben uitgeschud. Is er iets geheimzinnigs aan die vlek?'

'Ik heb niets gezien.'

'Een eindje onder die kladden heeft de hertog twee of drie keer zijn naam gezet - of liever zijn titel. Daaruit valt af te leiden, dat het geen brieven aan intieme kennissen waren.'

'De afleiding lijkt mij verdedigbaar.'

'Kolonel Marchbanks heeft een duidelijke handtekening.'

'Hij kan nauwelijks iets kwaads beogen,' zei Peter. 'Hij tekent zijn naam als een eerlijk man! Ga verder.'

'Er is een wijd geschreven mededeling over vijf en nog iets of fijn en nog iets. Zie je daar iets occults in?'

'Misschien heeft het getal vijf een kaballistische betekenis, maar ik moet toegeven dat ik die niet ken.'

'Nou, dat is alles, behalve een fragment, waarvan de ene regel luidt *oe* en daaronder *is fou -*'

'Wat maak je daaruit op?'

'Is fout, vermoed ik.'

'O ja?'

'Dat lijkt de eenvoudigste verklaring. Of misschien is het iets anders. Er schijnt daar opeens een toevloed van inkt in de pen te zijn gekomen. Denk jij dat de hertog heeft geschreven, dat het fout is wat Cathcart doet?'

'Nee, dat haal ik er niet uit. Bovendien geloof ik niet dat het Jerry's handschrift is.'

'Van wie dan wel?'

'Ik weet het niet, maar ik vermoed wel iets.'

'En wijst het in een bepaalde richting?'

'Het onthult de hele geschiedenis.'

'Vooruit, kom ermee voor de dag, Wimsey. Zelfs dr. Watson zou zijn geduld verliezen.'

'Tut, tut! Probeer eens die regel daarboven.'

'Daar staat alleen *oe*.'

'Ja, en?'

'Ik weet het niet. Broek, hoes, citroen - het kan van alles zijn.'

'H'm, ja. Maar het is zo dicht bij elkaar geschreven.'

'Misschien is het geen Engels woord.'

'Precies, misschien is het dat niet.

'O! O, ik snap het al. Frans?'

'Je komt in de buurt.'

'*Sœur - œuvre - œuf - bœuf -*'

'Nee, nee. De eerste keer was je er dichter bij.'

'*Sœur - cœur!*'

'*Cœur*. Wacht even. Kijk naar de kras, die daarvoor staat.'

'Een ogenblik - *er - cer -*'

'Wat dacht je van *percer?*'

'Ik geloof dat je gelijk hebt. *Percer le cœur.*'

'Ja, of *perceras le cœur.*'

'Dat is beter. Er schijnen nog een paar letters bij te moeten.'

'En nu je "is fout"-regel.'

'*Fou!*'

'Hoe?'

'Ik zei niet "hoe"; ik zei *fou.*'

'Ja, dat is zo. Maar wie is dat eigenlijk?'

'Wie is er *fou?*'

'O, *Je suis fou.*'

'*A la bonne heure!* En ik neem aan dat de volgende woorden *de douleur* zijn of zoiets.'

'Goed. Gesteld dat ze het zijn, wat dan?'

'Dat zegt ons alles.'

'Niets.'

'Alles, zeg ik. Denk eens na. Dit is geschreven op de dag waarop Cathcart stierf. Wie in huis zou nu die woorden hebben kunnen schrijven, *perceras le cœur . . . je suis fou de douleur?* Neem ze eens allemaal. Ik weet dat het niet de hand van Jerry is en hij zou die uitdrukkingen trouwens niet gebruiken. Kolonel of mevrouw Marchbanks? Uitermate onwaarschijnlijk. Freddy? Als hij er zijn hals mee kon redden, zou hij nog geen hartstochtelijke brieven in het Frans kunnen schrijven.'

'Nee, natuurlijk niet. Het zou óf Cathcart of - lady Mary moeten zijn.'

'Het kan Mary niet zijn. Dan zou het *je suis folle* moeten zijn. Dus Cathcart -'

'Natuurlijk. Hij heeft zijn hele leven in Frankrijk gewoond. Denk eens aan zijn bankboek. Denk eens -'

'En luister eens! De Sûreté schrijft me dat ze een van Cathcarts bankbiljetten hebben opgespoord.'

'Bij wie?'

'Bij een meneer François die een heleboel huizen in de buurt van de Étoile bezit.'

'En ze in *appartements* verhuurt!'

'Ja.'

'Wanneer gaat de volgende trein? Bunter!'

'De volgende boottrein naar Parijs? Acht uur twintig, my lord, van Waterloo.'

'Die nemen we. Pak mijn tandenborstel en bel een taxi.'

'Zeker, my lord.'

'Maar, Wimsey, wat voor licht werpt dit op de moord op Cathcart? Heeft die vrouw -'

'Ik heb geen tijd,' zei Wimsey haastig. 'Maar ik ben binnen een dag of twee terug. Inmiddels -'

Hij zocht snel op de boekenplank.

'Lees dit.'

Hij wierp zijn vriend het meesterwerk van Abbé Prévost toe en snelde naar zijn slaapkamer.

hoofdstuk 14

HET HISTORISCHE PROCES tegen de van moord beschuldigde hertog van Denver begon zodra het parlement na het Kerstreces weer bijeen was gekomen. De
kranten hadden hoofdartikeltjes over 'Berechting door
zijn gelijken' van een Vrouwelijke Advocaat, en 'Het
Privilege der Edelen - moet het worden afgeschaft?',
door een Historicus. De Evening Banner kreeg moeilijkheden wegens een beledigend artikel, getiteld 'De Zijden Strop' (door een Oudheidkundige). Het artikel werd
als vooringenomen beschouwd. En de Daily Trumpet -
het Labour-orgaan - vroeg sarcastisch waarom wanneer
er een hoge edelman terechtstond de fraaie vertoning
uitsluitend werd gereserveerd voor een aantal invloed-
rijke lieden, die een kaart voor de Royal Gallery te pakken konden krijgen.

Murbles en inspecteur Parker, die voortdurend voe-
ling met elkaar hielden, liepen met bezorgde gezichten
rond, terwijl sir Impey Biggs drie dagen lang volkomen
verdween.

Lord Peter was na vier dagen uit Parijs teruggekeerd
en als een cycloon in Great Ormond Street verschenen.
'Ik heb het,' zei hij, 'maar het is op het nippertje. Luister.'

Parker luisterde een uur en maakte koortsachtig aantekeningen.

'Daar kun je wat mee beginnen,' zei Wimsey. 'Zeg het
maar tegen Murbles, ik verdwijn.'

Vervolgens verscheen hij op de Amerikaanse ambas-
sade. De ambassadeur was er echter niet, omdat hij bij
de koning moest dineren. Wimsey verwenste het diner,
nam afscheid van de beleefde secretarissen met hun uile-
brillen en sprong weer in zijn taxi, met de opdracht hem
naar Buckingham Palace te brengen. Nadat hij hier al
zijn overredingskracht had gebruikt tegenover gecho-
queerde beambten, verscheen er eerst een hogere be-
ambte, toen een nog hogere en tenslotte de Amerikaanse
ambassadeur en een lid van het Koninklijk Huis.

'O ja,' zei de ambassadeur, 'dat kan natuurlijk wel -'

'Natuurlijk, natuurlijk,' zei het koninklijke personage vriendelijk. 'Dat mogen we niet uitstellen. Wanneer gaat uw boot?'

'Morgenochtend. Als ik kan, neem ik over een uur de trein naar Liverpool.'

'Dat lukt u zeker,' zei de ambassadeur vriendschappelijk, terwijl hij een briefje ondertekende. 'En dan zeggen ze dat de Engelsen geen haast kunnen maken.'

En zo, met al zijn papieren in orde, vertrok Wimsey de volgende ochtend uit Liverpool, het aan zijn advocaten overlatend om verschillende verdedigingsplannen op te stellen.

'Dan de edelen, twee aan twee, volgens hun rang, te beginnen met de jongste jonkheer.'

Het hoofd van de ridders van de Kouseband, erg verhit en zenuwachtig, liep doodongelukkig tussen de ongeveer driehonderd Britse edelen rond, die zich schaapachtig in hun ambtsgewaad werkten, terwijl de herauten hun best deden het gezelschap in rijen te plaatsen en hen tegen te houden, als ze hun plaats wilden verlaten.

'Heb je ooit zo'n vertoning meegemaakt,' bromde lord Attenbury geërgerd. Hij was een heel korte, dikke heer met een cholerisch voorkomen. Het ergerde hem, dat hij naast de graaf van Strathgillan and Begg stond, een bijzonder lange, slanke edelman met uitgesproken opvattingen over Drankverbod en Legitimatiekwestie.

'Zeg, Attenbury,' zei een vriendelijke, steenrode edelman met vijf strepen hermelijn op zijn schouder, 'is het waar dat Wimsey niet terug is gekomen? Mijn dochter vertelt me dat ze gehoord heeft dat hij naar de Verenigde Staten is gegaan om bewijsmateriaal te verzamelen. Waarom de Verenigde Staten?'

''k Weet niet,' zei Attenbury.

De Royal Gallery was propvol. Op een van de zetels voor de balie, die voor adellijke dames gereserveerd waren, zat de hertogin-weduwe van Denver, prachtig gekleed en uitdagend. Ze leed doordat vlak naast haar haar schoondochter zat, die helaas onaangenaam werd, als ze zich ongelukkig voelde.

Achter de indrukwekkende rij rechters, compleet met pruik, in het midden van de zaal, waren stoelen gereserveerd voor de getuigen. Ook Bunter was hier neergezet, om naar voren te kunnen worden geroepen, als de verdediging het noodzakelijk zou vinden om het alibi te laten bevestigen. Aan weerskanten van de balie stonden de banken voor de Hogerhuisleden - terwijl op het hoge podium de grote staatsiezetel voor de Lord High Steward gereed stond.

De journalisten, achter hun tafeltje, begonnen op hun stoelen heen en weer te schuiven en op hun horloges te kijken. Gedempt door de dikke muren en het geroes van stemmen liet Big Ben elf langzame slagen vallen. Er ging een deur open. De journalisten sprongen op; de advocaten stonden op; iedereen stond op en de stoet stroomde langzaam naar binnen, beschenen door een bundel winters zonlicht, dat door de hoge ramen viel.

De handelingen werden geopend met een verzoek om stilte door de Sergeant-at-Arms. De griffier van het Koninklijk Gerechtshof knielde bij de voet van de troon en bood de ,Lord High Steward de boodschap onder het Grootzegel aan. De hoge functionaris, die er geen gebruik van wenste te maken, gaf haar plechtig aan de griffier terug. Daarom begon deze de lange, vervelende boodschap voor te lezen en schonk daarmee de vergadering de gelegenheid om te beoordelen hoe slecht de akoestiek van de zaal was. De Sergeant-at-Arms antwoordde met grote nadruk: 'God save the King', waarop het hoofd van de ridders van de Kouseband en de ceremoniemeester van het Hogerhuis ook neerknielden en de Lord High Steward zijn ambtelijke staf aanboden.

De inleidende formules en opsomming van namen volgden in een lange, luide dreun, en gingen tenslotte over in de voorlezing der beschuldiging, met plotselinge, wrede bondigheid.

'De gezworenen van zijne majesteit de koning verklaren onder ede, dat de zeer edele en machtige prins Gerald Christian Wimsey, burggraaf St. George, hertog van Denver, peer van het Verenigd Koninkrijk van Groot-Brittannië en Ierland, op de dertiende oktober van het jaar Onzes Heren een duizend negen honderd en twintig - in de gemeente Riddlesdale in het graafschap York-shire, Denis Cathcart gewelddadig om het leven heeft gebracht.'

Waarna de Sergeant-at-Arms de ceremoniemeester van het Hogerhuis verzocht binnen te roepen Gerald Christian Wimsey, burggraaf St. George, hertog van Denver, teneinde voor de balie te verschijnen, om op de beschuldiging te antwoorden, die, voor de balie geko-men zijnde, neerknielde, totdat de Lord High Steward hem mededeelde, dat hij mocht opstaan.

De hertog van Denver maakte een heel kleine en een-zame indruk in zijn blauw serge pak. Hij was de enige edelman met ongedekt hoofd, maar hij was niet ontbloot van een zekere waardigheid, toen hij naar de zetel bij de balie werd gebracht, die bestemd is voor adellijke ge-vangenen. Hij luisterde naar de herhaling van de be-schuldiging door de Lord High Steward. Zijn houding was daarbij van een zuivere ernst, die zeer sympathiek aandeed.

Toen werd de hertog van Denver door de griffier van het Parlement op de gebruikelijke wijze aangeklaagd en gevraagd of hij schuldig dan wel onschuldig was, waar-op hij verklaarde onschuldig te zijn.

Waarop de procureur-generaal, sir Wigmore Wrin-ching, opstond en het proces voor de Kroon opende.

Na de gebruikelijke inleidende woorden, van deze strekking dat de zaak uiterst pijnlijk was en de gelegen-heid buitengewoon plechtig, ging sir Wigmore ertoe over, de zaak van het begin af uiteen te zetten:

De twist, het schot om drie uur in de ochtend, de re-volver, het vinden van het lichaam, de verdwijning van de brief en de rest van het bekende verhaal.

Daar de aanklager de hertog van Denver niet kon op-roepen, was lady Mary Wimsey de eerste belangrijke ge-tuige. Nadat zij verteld had van haar betrekkingen tot de vermoorde en de twist had beschreven, vervolgde zij:

'Om drie uur stond ik op en ging naar beneden.'

'Wat gaf u aanleiding dat te doen?' vroeg sir Wig-more.

'Een afspraak, die ik had gemaakt om een vriend te ontmoeten.'

Alle journalisten keken plotseling op, als honden die een koekje verwachten. Sir Wigmore schrok hevig.

'O ja? Denk eraan, getuige, dat u onder ede staat en weest u voorzichtig. Waardoor bent u om drie uur wakker geworden?'

'Ik sliep niet. Ik wachtte op het afgesproken ogenblik.'

'En hoorde u iets terwijl u wachtte?'

'Helemaal niets.'

'Lady Mary, ik heb hier de verklaring, die u onder ede voor de coroner hebt afgelegd. Die zal ik u voorlezen. Luistert u alstublieft heel nauwkeurig. U zegt: "Om drie uur werd ik wakker door een schot. Ik dacht dat het misschien stropers waren. Het klonk heel hard vlakbij het huis. Ik ging naar beneden om te zien wat het was." Herinnert u zich deze verklaring te hebben afgelegd?'

'Ja, maar dat was niet waar. Ik heb helemaal niets gehoord. Ik ging naar beneden, omdat ik een afspraak had.'

Wat het vinden van het lichaam betrof, verklaarde lady Mary, dat toen ze 'O Gerald, je hebt hem vermoord' zei, meende dat het lichaam dat van de vriend was, met wie zij de afspraak had. Hierop ontstond een heftige woordenwisseling ten aanzien van de vraag of het verhaal omtrent de afspraak ter zake dienende was. De lords besloten, dat het over 't geheel ter zake dienende was; en de hele geschiedenis met Goyles kwam voor de dag. Tenslotte gaf sir Wigmore de getuige over aan sir Impey Biggs. Deze stond met een minzaam gebaar op en voerde de discussie terug naar een punt, dat verder terug lag.

'Vergeeft u mij de aard van deze vraag, maar zoudt u ons willen vertellen of wijlen kapitein Cathcart een grote liefde voor u koesterde?'

'Nee, ik ben er zeker van dat hij dat niet deed. Het was een overeenkomst voor ons beider gerief.'

'Denkt u, voor zover u zijn karakter kende, dat hij in staat was tot een grote liefde?'

'Ik denk dat hij daartoe wel in staat was geweest, voor de juiste vrouw.'

'Dank u. U hebt ons verteld dat u kapitein Cathcart verschillende malen ontmoet hebt, toen u in februari in

Parijs logeerde. Herinnert u zich dat u met hem naar een juwelier - monsieur Briquet in de Rue de la Paix - bent geweest?'

'Dat kan zijn; dat herinner ik me niet precies.'

'De datum, waarop ik uw aandacht zou willen vestigen, is de zesde.'

'Ik zou het niet kunnen zeggen.'

'Herkent u dit sieraad?'

Hierbij werd de groenogige kat aan de getuige overhandigd.

'Nee, ik heb het nog nooit gezien.'

James Fleming, nauwkeurig ondervraagd over de aflevering van de post, bleef vaag en vergeetachtig, en gaf over 't geheel het hof de indruk, dat er nooit een brief aan de hertog was afgeleverd. Sir Wigmore droeg de getuige aan sir Impey over. Laatstgenoemde vergenoegde zich ermee de getuige tot de verklaring te brengen, dat hij noch het een noch het ander nadrukkelijk kon bezweren, en ging onmiddellijk tot een ander punt over.

'Herinnert u zich of er met dezelfde post ook brieven voor een der andere leden van het gezelschap zijn gekomen?'

'Ja; ik heb er drie of vier naar de biljartkamer gebracht.'

'Kunt u zeggen aan wie ze geadresseerd waren?'

'Er waren er enige voor kolonel Marchbanks en een voor kapitein Cathcart.'

'Heeft kapitein Cathcart zijn brief daar toen meteen geopend?'

'Dat zou ik niet kunnen zeggen, meneer. Ik heb de kamer onmiddellijk verlaten om de brieven van zijne hoogheid naar de studeerkamer te brengen.'

'Wilt u ons nu vertellen hoe de brieven, die naar de post moeten, 's morgens in het jachthuis worden verzameld?'

'Ze worden in de postzak gedaan, die afgesloten is. Zijne hoogheid heeft de ene sleutel en het postkantoor de andere. De brieven worden erin gegooid door een gleuf bovenin.'

'Werden de brieven op de ochtend na de dood van kapitein Cathcart zoals gewoonlijk naar de post gebracht?'

'Ja, meneer.'

'Door wie?'

'Ik heb de zak zelf weggebracht, meneer.'

'Had u gelegenheid om te zien wat voor brieven erin waren?'

'Toen de juffrouw van de post ze eruit nam, zag ik dat er twee of drie brieven waren, maar ik zou niet kunnen zeggen aan wie ze geadresseerd waren of zoiets.'

'Dank u.'

Hier veerde sir Wigmore Wrinching op als een duiveltje in een doosje.

'Is dit de eerste keer dat u melding maakt van die brief die u, naar u zegt, aan kapitein Cathcart op de avond van zijn vermoording hebt afgeleverd?'

'My lords,' riep sir Impey uit, 'ik protesteer tegen deze taal. We hebben tot dusver geen bewijs dat er een moord is gepleegd.'

'My lords,' vervolgde de advocaat in antwoord op een vraag van de Lord High Steward, 'ik stel dat er tot dusver geen poging is gedaan om moord te bewijzen, en dat, totdat de aanklager de moord heeft vastgesteld, zulk een woord een getuige niet in de mond mag worden gelegd.'

'Misschien zou het beter zijn om een ander woord te gebruiken, sir Wigmore.'

'Het maakt voor onze zaak geen verschil, my lord; ik buig mij voor de beslissing van uw lordschap. De hemel weet, dat ik bij zulk een ernstige aanklacht de verdediging ook niet door het kleinste en onbeduidendste woord zou willen belemmeren.'

'My lords,' bracht sir Impey in het midden, 'indien de geleerde advocaat-generaal het woord moord als iets onbeduidends beschouwt, zou het interessant zijn te weten aan welk woord hij dan wel belang hecht.'

'De geleerde advocaat-generaal heeft erin toegestemd er een ander woord voor in de plaats te stellen,' zei de Lord High Steward sussend en knikte naar sir Wigmore dat hij verder moest gaan.

Sir Wigmore herhaalde zijn vraag.

'Ik heb er voor het eerst ongeveer drie weken geleden tegen meneer Murbles over gesproken.'

'En hoe kwam het,' vroeg sir Wigmore, 'dat u bij de

lijkschouwing of bij het vooronderzoek van deze brief geen melding hebt gemaakt?'

'Er is mij niet naar gevraagd, meneer.'

'Wat heeft u zo opeens tot het besluit gebracht, het meneer Murbles te gaan vertellen?'

'Hij vroeg het mij, meneer.'

'O, hij vroeg het u, en u was zo vriendelijk het u te herinneren, toen het u in de mond werd gegeven?'

'Nee, meneer. Ik heb het me aldoor herinnerd.'

'U dacht dat het niet van belang was dat die man een paar uur voor zijn dood een brief ontving?'

'Nee, meneer. Ik dacht dat als het van belang was, de politie er wel naar zou hebben gevraagd, meneer.'

'James Fleming, ik stel nogmaals dat het nooit bij u is opgekomen dat kapitein Cathcart op de avond van zijn dood een brief heeft ontvangen, tot de verdediging dit idee in uw hoofd prentte. U bent zeker ook niet op de gedachte gekomen tegen de politie iets over de brieven in de postzak te zeggen?'

'Nee, meneer.'

'Waarom niet?'

'Ik vond dat het niet op mijn weg lag, meneer.'

'En kwam het niet bij u op, dat het in een geval als dit belangrijk kon zijn de politie behoorlijk op de hoogte te stellen?'

'Nee, meneer.'

Sir Wigmore ging zitten en sir Impey nam de getuige weer over.

'Die brief die aan kapitein Cathcart is afgeleverd - hebt u daar nog wel eens aan gedacht tussen de dag van zijn dood en de dag, waarop meneer Murbles u erover heeft gesproken?'

'Ja, meneer.'

'Wanneer was dat?'

'Voor de grote jury, meneer.'

'En waarom hebt u er toen niets over gezegd?'

'Die meneer zei dat ik me moest beperken tot het beantwoorden van de vragen.'

'Wie was die heerszuchtige meneer?'

'De advocaat, die was gekomen om vragen voor de Kroon te stellen, meneer.'

'Dank u,' zei sir Impey vriendelijk en ging zitten.

De kwestie van de brief kwam weer aan de orde bij de ondervraging van de Honourable Freddy. Sir Wigmore Wrinching legde sterk de nadruk op de verklaring van de getuige, dat de overledene in uitstekende lichamelijke en geestelijke conditie had verkeerd, toen hij woensdagavond naar bed ging en over zijn aanstaand huwelijk had gesproken. 'Hij was, leek me, in een zeer opgewekte stemming,' zei de Honourable Freddy.

'De overledene was in een buitengewoon opgewekte en goede stemming, toen hij naar bed ging,' zei sir Wigmore, terwijl hij dreigend het voorhoofd fronste, 'en verheugde zich op zijn komend huwelijk. Zou dat de juiste weergave van zijn toestand zijn?'

De Honourable Freddy bevestigde dit.

Sir Impey onderwierp de getuige niet aan kruisverhoor inzake de twist, maar ging recht op zijn doel af.

'Herinnert u zich iets over de brieven, die op de avond van het overlijden werden binnengebracht?'

'Ja, ik kreeg er een van mijn tante. De kolonel ontving er een paar en ik geloof dat er ook een voor Cathcart was.'

'Heeft kapitein Cathcart die brief toen, waar u bij was, gelezen?'

'Nee, ik weet zeker dat hij dat niet heeft gedaan.'

'Dank u, meneer Arbuthnot,' zei sir Impey glimlachend.

Kolonel en mevrouw Marchbanks verklaarden om half twaalf geluiden in de studeerkamer van de hertog te hebben gehoord. Ze hadden geen schot of iets dergelijks gehoord. Er volgde geen kruisverhoor.

De heer Pettigrew-Robinson gaf een levendig verslag van de twist en beweerde zeer stellig, dat er geen misverstand kon bestaan over het slaan van de deur van 's hertogs slaapkamer.

'Daarna riep meneer Arbuthnot ons, vlak na drieën,' ging de getuige voort, 'we gingen naar beneden, naar de serre, waar ik de beschuldigde en meneer Arbuthnot bezig zag het gezicht van de overledene te wassen. Ik maakte hen erop attent, dat het onverstandig was dit te doen, daar ze belangrijke bewijzen voor de politie zouden kunnen vernietigen. Ze letten niet op mij. Bij de deur waren een aantal voetsporen, die ik wilde onderzoeken, want ik veronderstelde dat -'

'Beantwoordt u de vragen alstublieft en voegt u er niet op eigen gelegenheid iets aan toe,' zei de Lord High Steward.

'Hoe lag het lichaam, toen u het voor 't eerst zag?'

'Op de rug. Denver en Arbuthnot waren het gezicht aan 't wassen.'

'Ja. Nu wil ik op een ander punt overgaan. Herinnert u zich een gelegenheid, waarbij u lunchte in de Royal Automobile Club?'

'Jawel. Ik heb daar omstreeks midden augustus gegeten - ik geloof op de zestiende of de zeventiende.'

'Kunt u ons vertellen wat er bij die gelegenheid is gebeurd?'

'Ik ben na de lunch naar de rookkamer gegaan. Ik zat in een leuningstoel met hoge rug te lezen, toen ik de beschuldigde met wijlen kapitein Cathcart binnen zag komen. Dat wil zeggen, ik zag ze in de spiegel boven de schoorsteenmantel. Ze zagen niet dat er iemand zat, anders zouden ze, denk ik, wel voorzichtiger zijn geweest met wat ze zeiden. Ze gingen vlakbij me zitten en begonnen te praten. Kort daarop boog Cathcart zich naar voren en zei zachtjes iets, dat ik niet kon verstaan. Denver sprong met angstig vertrokken gezicht op en riep uit: "Verraad me in 's hemelsnaam niet, Cathcart." Cathcart zei iets geruststellends - ik kon niet horen wat - en Denver antwoordde: "Nu, je houdt je mond dus; ik kan niet riskeren dat iemand het te weten komt." De beschuldigde leek erg geschrokken. Kapitein Cathcart lachte. Ze gingen weer zachter spreken en ik verstond niets meer.'

'Dank u.'

Sir Impey nam de getuige met duivelse beleefdheid over.

'Uw opmerkingsgave en uw analytisch vermogen zijn werkelijk buitengewoon, meneer Pettigrew-Robinson,' begon hij. 'Ongetwijfeld schept u er behagen in uw sterke verbeeldingskracht te oefenen door het bestuderen van 's mensen beweegredenen en karakter, nietwaar?'

'Ik geloof dat ik mezelf wel een waarnemer van de

menselijke natuur mag noemen,' antwoordde Pettigrew-Robinson gevleid.

'De mensen stellen zeker vertrouwen in u, hè?'

'Inderdaad. Ik mag wel zeggen dat ik een bewaarplaats van menselijke aangelegenheden ben.'

'In de nacht van de dood van kapitein Cathcart was uw ruime kennis van de wereld zeker een grote troost en hulp voor de familie?'

'Ze hebben geen gebruik van mijn ervaring gemaakt, meneer,' zei Pettigrew-Robinson, eensklaps woedend. 'Er werd niet de minste aandacht aan mij geschonken.'

'Als kapitein Cathcart geheimen of moeilijkheden in zijn leven had gehad, denkt u dan dat hij ze u zou hebben verteld?'

'Van een rechtgeaarde jongeman zou ik het zeker hebben verwacht,' zei Pettigrew-Robinson zelfverzekerd. 'Kapitein Cathcart deed altijd onplezierig geheimzinnig.'

'Dat is voldoende,' viel sir Impey snel in de rede.

Mevrouw Pettigrew-Robinson had weinig toe te voegen aan haar verklaringen bij het vooronderzoek. Juffrouw Cathcart werd door sir Impey ondervraagd omtrent Cathcarts ouders.

Bij het kruisverhoor van de agent Craikes werd een belangwekkend punt aangeroerd. Er werd hem een pennemes getoond, dat hij herkende als datgene dat op Cathcart gevonden was.

'Hebt u ook bepaalde kentekenen aan het mes opgemerkt?'

'Ja, er is een kleine inkeping bij het handvat.'

'Zou dit gekomen kunnen zijn door het loswrikken van een raamwervel?'

Craikes gaf toe dat dit mogelijk was, maar betwijfelde of zo'n klein mes voor dat doel wel geschikt zou zijn. De revolver werd overgelegd en de vraag kwam aan de orde, wie de eigenaar ervan was.

'My lords,' bracht sir Impey in het midden, 'wij bestrijden niet dat de hertog eigenaar van de revolver was.'

Het hof scheen verbaasd te zijn. Nadat Hardraw, de jachtopziener, getuigenis had afgelegd omtrent het schot, dat hij om half twaalf had gehoord, werd de medische getuige-deskundige voorgeroepen.

Sir Impey Biggs: 'Zou de overledene zichzelf de wond hebben kunnen toebrengen?'

'Dat is zeker mogelijk.'

'Zou de wond onmiddellijk de dood veroorzaakt kunnen hebben?'

'Nee. Te oordelen naar de hoeveelheid bloed, die op het pad is aangetroffen, is de dood kennelijk niet meteen ingetreden.'

'Wijzen volgens u de sporen erop, dat de overledene naar het huis is gekropen?'

'Ja, inderdaad. Hij zou daar nog kracht genoeg voor gehad hebben.'

'Wijzen de sporen erop, dat hij nog enige uren nadat hij gewond was heeft geleefd?'

'Ze doen het sterk vermoeden.'

Uit de recapitulatie door sir Wigmore Wrinching bleek, dat de wond en de algemene aanblik van de grond de theorie bevestigden dat de overledene door een vreemde hand van dichtbij was doodgeschoten en naar het huis gesleept, voordat de levensgeesten geweken waren.

'Wat komt volgens uw ervaring bij zelfmoord het vaakst voor: een schot in de borst of een schot in het hoofd?'

'Ik geloof dat voor het hoofd schieten meer voorkomt.'

'Zó vaak dat men tot moord mag concluderen, als het een borstwond is?'

'Zo ver zou ik niet willen gaan.'

'Er is niets in het medisch bewijsmateriaal, dat de gedachte aan zelfmoord uitsluit?'

'Hoegenaamd niets.'

Hiermee was de zaak voor de Kroon gesloten.

hoofdstuk 15

Op de tweede dag van het proces stond sir Impey Biggs op om zijn openingsrede voor de verdediging te houden. Zijn opmerkingen waren slechts kort, maar met die paar woorden deed hij een huivering door het grote gezelschap gaan.

'My lords. Nu ik op het punt sta de verdediging te openen, constateer ik dat ik in een bijzonder moeilijke positie verkeer. Niet dat ik enige twijfel koester aan de uitspraak van uw lordschappen. Misschien is het nog nooit mogelijk geweest, de onschuld van een verdachte zo zonneklaar te bewijzen als in het geval van mijn edele cliënt. Ik wil uw lordschappen echter meteen zeggen, dat ik me genoodzaakt kan zien om verdaging te vragen, daar ons op het ogenblik een belangrijke getuige ontbreekt, alsook een beslissend bewijsstuk. My lords, ik heb hier in mijn handen een telegram van deze getuige, lord Peter Wimsey, de broer van de verdachte. Het is gisteren in New York verzonden en luidt: "Bewijs verkregen. Vertrek vanavond met piloot Grant. Beëdigd afschrift en verklaringen volgen per s. s. *Lucarnia* in geval van ongeluk. Hoop donderdag aan te komen." My lords, op het ogenblik bevindt zich deze buitengewoon belangrijke getuige in een vliegtuig hoog boven de oceaan. In dit winterweer trotseert hij een gevaar, dat ieder hart zou doen wankelen, behalve het zijne en dat van de wereldberoemde aviateur wiens hulp hij heeft ingeroepen. Hij doet dat om zijn edele broer zonder verwijl van deze vreselijke aanklacht te zuiveren.'

Over de glinsterende banken was een ijzige stilte neergedaald. Alleen de beschuldigde keek enigszins onthutst van zijn advocaat naar de Lord High Steward en de journalisten zaten in wanhopige vaart ijlberichten te schrijven - sensationele koppen, schilderachtige epitheta en alarmerende weersvoorspellingen, die de adem van de Londenaren zouden doen stokken: BROER VAN HERTOG VLIEGT OVER ATLANTISCHE OCEAAN; BROEDERLIJKE TOEWIJ-

Na een korte verklaring, waarin hij de onschuld van zijn cliënt wilde bewijzen, ging sir Impey Biggs er zonder verdere omhaal toe over zijn getuigen op te roepen.

Goyles was een van de eersten. Hij verklaarde dat hij Cathcart reeds om drie uur dood had aangetroffen, met het hoofd dichtbij de watertrog, die vlak naast de put stond. Ellen, de dienstbode, bevestigde daarop James Flemings getuigenis betreffende de postzak.

De verklaringen van inspecteur Parker wekten meer belangstelling én enige verwarring. Zijn beschrijving van de ontdekking van de groenogige kat werd gretig aangehoord. Hij gaf ook een minutieus verslag van de voetafdrukken en de sporen, achtergelaten toen het lichaam werd voortgesleept, speciaal de afdruk van een hand in het bloembed. Toen werd het stuk vloeipapier overgelegd. Foto's ervan gingen rond onder de edelen. Over deze beide punten ontspon zich een langdurige discussie, waarbij sir Impey Biggs poogde aan te tonen, dat de afdruk in het bloembed van die aard was, dat hij te weeg moest zijn gebracht door iemand, die zich uit een liggende houding trachtte op te richten. Sir Wigmore Wrinching deed zijn best om het hof tot de erkenning te bewegen, dat de afdruk kon zijn ontstaan, toen het slachtoffer poogde te voorkomen, dat het zou worden weggesleurd.

Vervolgens maakte inspecteur Parker melding van de sporen van braak op het studeerkamerraam.

'Kan volgens u de raamwervel met het mes, dat op de overledene is gevonden, geforceerd zijn?'

'Ik weet dat dat kan, want ik heb het geprobeerd met een mes van dezelfde soort.'

Hierna werden de woorden op het vloeipapier van voren naar achteren en van achteren naar voren gelezen en op alle mogelijke manieren uitgelegd, waarbij de verdediging volhield dat de taal Frans was en de woorden *je suis fou de douleur* luidden. De aanklager noemde deze veronderstelling ver gezocht en bood een Engelse verklaring aan. Terwijl deze netelige kwesties aan het oordeel der lords werden overgelaten, liet de verdediging een reeks onbelangrijke getuigen voorkomen.

Toen kwamen monsieur Briquet, de juwelier uit de Rue de la Paix en zijn winkelmeisje, die het verhaal deden van de lange, blonde buitenlandse dame en haar aankoop van de groenogige kat - waarop iedereen plotseling wakker werd. Nadat hij de vergadering eraan had herinnerd, dat dit voorval in februari had plaats gevonden, toen Cathcarts verloofde in Parijs was, verzocht sir Impey de juweliersassistente de zaal rond te kijken en hem te zeggen, of zij de buitenlandse dame daar zag. Dit bleek een langdurige geschiedenis te zijn, maar het antwoord luidde tenslotte ontkennend.

'Ik wil niet dat hierover enige twijfel blijft bestaan,' zei sir Impey, 'en met toestemming van de geleerde advocaat-generaal zal ik deze getuige nu met lady Mary Wimsey confronteren.'

Lady Mary werd nu verzocht naar voren te komen. De getuige zei dadelijk beslist: 'Nee, deze dame is het niet; ik heb deze dame nog nooit van mijn leven gezien.'

De volgende getuige was professor Hébert, een vooraanstaand deskundige op het gebied van het internationale recht. Hij beschreef Cathcarts veelbelovende carrière als jong diplomaat in Parijs voor de oorlog. Op hem volgden een aantal officieren, die verklaringen aflegden omtrent het uitstekende gedrag van de overledene in de oorlog. Toen kwam er een getuige, die de aristocratische naam du Bois-Gobey Houdin opgaf en die zich heel goed een bijzonder onaangenaam twistgesprek herinnerde, dat hij eens naar aanleiding van een partijtje kaart met kapitein Cathcart had gehad. Hij had hierover gesproken met Thomas Freeborn, de bekende Engelse ingenieur. Het was aan Parkers ijver te danken, dat deze getuige was opgetrommeld. Toen men met al deze mensen klaar was, was de middag al een eind gevorderd. De Lord High Steward vroeg de lords of het hun behaagde de zitting tot de volgende dag te verdagen, om half elf in de ochtend. De lords antwoordden keurig in koor: 'Ja' en de zitting werd opgeheven.

hoofdstuk 16

LORD PETER staarde naar de voortjagende wolken. De dunne, ongelooflijk tere stalen stijlen zweefden langzaam over de glinstering ver onder hem, waar het wijde land vervaagde.

Hij zette de moeilijkheden van het ogenblik uit zijn hoofd en haalde zich het laatste, vreemde, gehaaste toneel weer voor de geest. Fragmenten van gesprekken dwarrelden door hem heen.

'Mademoiselle, ik heb twee continenten doorkruist om u te zoeken.'

'*Voyons*, dan is het zeker dringend. Maar vlug een beetje, want die brombeer kan komen en ik houd niet van *des histoires*.'

Er had een lamp op een laag tafeltje gestaan. Hij herinnerde zich hoe het licht daarvan door het waas van kort goud haar scheen. Het was een lange vrouw, slank van gestalte, die naar hem opkeek uit reusachtige zwart met gouden kussens.

'Mademoiselle, ik kan niet geloven dat u ooit zou dineren of dansen met een personage dat Van Humperdinck heet.'

Hoe was hij er in 's hemelsnaam toe gekomen zoiets te zeggen, terwijl er zo weinig tijd was en Jerry's zaak van zo groot belang was.

'Monsieur Van Humperdinck danst niet. Hebt u twee continenten afgereisd om me zoiets te zeggen?'

'Nee, ik spreek in ernst.'

'*Eh bien*, ga zitten.'

Ze had er geen doekjes om gewonden.

'Ja, arme drommel. Maar het leven was sinds de oorlog erg duur voor hem. Ik heb verschillende goeie dingen afgeslagen, maar er waren altijd *des histoires*. En zo weinig geld. Men moet verstandig zijn, weet u. Men moet aan de oude dag denken. Men moet vooruitzien. Ja, ja, ik heb geschreven. Ik was erg vriendelijk, erg verstandig. Ik zei: "*Je ne suis pas femme à supporter de gros*

167

ennuis." Cela se comprend, n'est-ce pas? - Ik heb het in de kranten gezien, ja. Arme jongen! Waarom zou iemand hem doodschieten?'

'Mademoiselle, daarom ben ik bij u gekomen. Mijn broer, van wie ik veel houd, wordt beschuldigd van de moord. Hij kan ervoor opgehangen worden.'

Toen haar aandacht eenmaal gewekt was, was ze een en al medeleven.

'Mademoiselle, ik smeek u, probeert u zich te herinneren wat er in zijn brief stond.'

'Maar, *mon pauvre ami,* hoe kan ik dat? Ik heb hem niet gelezen, hij was erg lang, erg vervelend, vol *histoires.* De zaak was afgedaan en ik maak me nooit druk over iets waar niets meer aan te doen valt. U wel?'

Maar de wanhoop om deze mislukking had haar ontroerd.

'Maar wacht; misschien is alles nog niet verloren. Het is mogelijk dat de brief nog ergens slingert. We zullen het Adèle vragen, dat is mijn meisje. Zij verzamelt brieven om mensen geld te kunnen afpersen. Wacht eens - we zullen zelf eerst kijken.'

Eindelijk werd Adèle erbij gehaald, een meisje met dunne lippen en een argwanend gezicht. Ze ontkende alles, totdat haar meesteres haar plotseling woedend in het gezicht sloeg en haar in het Frans en Duits uitschold.

'Het heeft dus geen zin,' zei lord Peter. 'Wat jammer dat mademoiselle iets dat zoveel waarde voor mij heeft niet kan vinden.'

Het woord 'waarde' bracht Adèle op een idee.

In het juwelenkistje van mademoiselle hadden ze nog niet gekeken.

'*C'est cela que cherche monsieur?*'

Daarna de plotselinge komst van de heer Cornelius van Humperdinck, heel rijk, dik en achterdochtig, en het belonen van Adèle, op heel tactvolle, onopvallende manier, bij de liftkoker.

Kort na middernacht werd Murbles gewekt door een daverende slag op zijn deur. Hij stak zijn hoofd enigszins ongerust uit het raam en zag de portier.

'Meneer Murbles, komt u alstublieft. Bunter heeft me opgebeld. Er is een vrouw die wil getuigen. Bunter wil haar liever niet alleen laten - ze is bang - maar hij zegt dat het ontzettend belangrijk is en Bunter heeft het altijd bij het rechte eind.'

'Heeft hij gezegd wie het is?'

'Een zekere mevrouw Grimethorpe.'

'Perkins, wil je zo goed zijn meneer Murphy wakker te maken en te vragen of ik zijn telefoon even zou mogen gebruiken?'

De heer Murphy - een luidruchtige Ierse advocaat met hartelijke manieren - hoefde niet wakker te worden gemaakt. Hij had vrienden op bezoek en was heel blij van dienst te kunnen zijn.

'Ben jij daar, Biggs? Je spreekt met Murbles. Kan je naar Piccadilly 110 komen?'

'Ik kom direct.'

Het was een vreemd troepje, dat om het haardvuur van lord Peter bijeen was - de vrouw met het bleke gezicht, die bij ieder geluid opschrikte, de rechtsgeleerden; lady Mary; Bunter, de bekwame. Het verhaal van mevrouw Grimethorpe was eenvoudig genoeg. Sedert lord Peter met haar had gesproken, was zij voortdurend door haar wetenschap gekweld. Ze had gebruik gemaakt van een ogenblik waarop haar echtgenoot dronken in de Lord in Glory zat, had het paard ingespannen en was ermee naar Stapley gereden.

'Ik kon het niet langer voor me houden. Ik heb nog liever dat mijn man mij vermoordt, want ik ben toch al ongelukkig en misschien ben ik er in Gods hand niet slechter aan toe. Dat is in ieder geval beter dan dat ze hem ophangen voor iets dat hij nooit heeft gedaan. Hij was lief en ik was verschrikkelijk ongelukkig. Dat is de waarheid, en ik hoop dat de lady hem niet al te hard zal vallen, als ze het allemaal weet.'

'Zoudt u kunnen bezweren hoe laat de hertog van Denver in Grider's Hole is aangekomen?'

'Het was kwart over twaalf op de keukenklok - en dat is een heel goeie klok.'

'En hij is van u weggegaan om -'

'Ongeveer vijf minuten over twee.'

'En hoeveel tijd heeft iemand, die vlug loopt, nodig om naar Riddlesdale Lodge terug te gaan?'

'O, ongeveer een uur. Het is moeilijk lopen en je moet de steile oever van de beek op- en afklimmen.'

'Wat deze punten betreft, moet u zich door de andere partij niet van uw stuk laten brengen, mevrouw Grimethorpe, want zij zullen proberen te bewijzen dat hij tijd had om Cathcart te vermoorden, hetzij voor hij wegging of nadat hij terugkwam. En doordat wij toegeven dat de hertog iets in zijn leven had, dat hij geheim wilde houden, leveren wij de aanklager juist dat materiaal dat hem ontbreekt - een motief om iemand, wie dan ook, te vermoorden, die hem zou hebben betrapt.'

Er viel een zware stilte.

'Mag ik vragen, mevrouw,' zei sir Impey, 'of er iemand is die enige verdenking koestert?'

'Mijn man vermoedde het,' antwoordde zij schor. 'Daar ben ik zeker van. Hij heeft het altijd geweten. Maar hij kon het niet bewijzen.'

'Het beste wat we volgens mij kunnen doen,' zei sir Impey, 'is dat we het bewijsmateriaal gebruiken en zo nodig voor de een of andere vorm van bescherming voor deze dame zorgen. Inmiddels . . .'

'Ze gaat met mij mee naar moeder,' zei lady Mary vastberaden.

'Mijn beste kind,' wierp Murbles tegen, 'dat zou onder deze omstandigheden weinig passend zijn. Ik geloof dat u nauwelijks begrijpt -'

'Moeder heeft het gezegd,' antwoordde lady Mary. 'Bunter, bel een taxi.'

Murbles gebaarde hulpeloos met zijn handen, maar sir Impey nam het enigszins van de grappige kant op. 'Het heeft geen zin, Murbles,' zei hij. 'Tijd en ervaring kunnen een vooruitstrevende jonge vrouw temmen, maar een vooruitstrevende oude vrouw kan door geen aardse macht worden onderworpen.'

En zo kwam het dat lady Mary vanuit het Londense huis der douairière Charles Parker opbelde om hem het nieuws te vertellen.

hoofdstuk 17

DE GEVANGENE had een uur met zijn raadslieden ge-
redetwist, toen zij eindelijk in de rechtszaal verschenen.
Zelfs het klassieke gelaat van sir Impey zag er verhit uit
tussen de lokken van zijn pruik.

'Ik ben niet van plan iets te zeggen,' verklaarde de
hertog koppig. 'Dat zou iets afschuwelijks zijn. Ik vermoed dat ik u niet kan beletten haar voor te roepen, als
ze daarop staat - verduiveld lief van haar - het geeft me
het gevoel dat ik een schoft ben.'

'We zullen het daar maar bij laten,' zei Murbles. 'Het
maakt een goede indruk, weet je. Laat hem maar de
beklaagdenbank ingaan en zich als een echte gentleman
gedragen. Dat zullen ze prettig vinden.'

Sir Impey knikte.

De eerste getuige van die dag werkte min of meer als
een verrassing. Als haar naam en adres gaf ze op Eliza
Briggs, bekend als madame Brigette uit New Bond
Street, en als haar beroep schoonheidsspecialiste en par-
fumeuse. Ze had een grote en aristocratische clientèle
van beiderlei kunne en een filiaal in Parijs. De overledene was verscheidene jaren in beide steden een klant
van haar geweest, voor massage en manicure. Hij be-
steedde bijzonder veel aandacht aan zijn voorkomen, en
als je dat ijdelheid noemde in een man, dan was hij inderdaad ijdel. Sir Wigmore Wrinching deed geen poging de getuige een kruisverhoor af te nemen en de lords
vroegen zich af wat daar de bedoeling van was.

Op dit ogenblik boog sir Impey Biggs zich naar voren
en terwijl hij op indrukwekkende wijze met zijn wijsvinger op zijn rol tikte, begon hij:

'My lords, onze zaak staat zo sterk, dat wij het niet nodig hadden geacht met een alibi te komen -' toen een
ambtenaar van het hof van de deur, waar enige beweging was ontstaan, kwam toesnellen en hem opgewonden een briefje in de hand drukte. Sir Impey las, bloosde,
keek de zaal door, legde zijn rol neer, vouwde zijn han-

den eroverheen, en zei eensklaps met een luide stem:

'My lords, het doet mij genoegen te kunnen zeggen, dat onze ontbrekende getuige er is. Ik roep lord Peter Wimsey op.'

Allen rekten opeens de hals, alle ogen vestigden zich op de met vuil en olie overdekte figuur, die vriendelijk knikkend de lange zaal binnenliep. Sir Impey Biggs gaf het papier door aan Murbles, wendde zich tot de getuige, die tegen al zijn kennissen glimlachte en daartussendoor vreselijk gaapte, en vroeg dat men hem zou beëdigen.

'Ik ben lord Peter Wimsey, broer van de beschuldigde. Ik woon 110 A Piccadilly. Ten gevolge van hetgeen ik heb gelezen op het stuk vloeipapier, dat ik nu kan thuisbrengen, ging ik naar Parijs om een bepaalde dame op te zoeken. De naam van die dame is Mademoiselle Simone Vonderaa. Ik kwam er achter, dat zij Parijs had verlaten in gezelschap van een man, genaamd Van Humperdinck. Ik volgde haar spoor en tenslotte kreeg ik haar in New York te pakken. Ik vroeg haar mij de brief te geven, die Cathcart op de avond van zijn dood had geschreven.' (Sensatie.) 'Ik leg deze brief over, met mademoiselle Vonderaa's handtekening in de hoek, zodat hij geïdentificeerd kan worden.'

'My lords,' zei sir Impey, 'uwe lordschappen zijn getuigen dat ik deze brief nog nooit van mijn leven heb gezien en ik heb geen idee van de inhoud. Maar ik ben er zo zeker van dat de zaak van mijn edele cliënt er slechts door gediend kan worden, dat ik bereid ben - ja, zelfs verlangend - dit document dadelijk, zoals het hier voor me ligt, zonder het te hebben ingezien, over te leggen en met de inhoud te overwinnen of ten onder te gaan.'

'Nagegaan moet worden of het handschrift met dat van de overledene overeenstemt,' zei de Lord High Steward.

Juffrouw Lydia Cathcart werd weer voorgeroepen, om het handschrift te identificeren. De brief werd vervolgens aan de Lord High Steward overhandigd, die aankondigde:

'De brief is in het Frans geschreven. We zullen een tolk moeten beëdigen.'

Er volgde een korte pauze, gedurende welke de tolk werd gehaald en beëdigd. Toen werd eindelijk onder ademloze stilte de brief voorgelezen:

SIMONE - *Ik heb zo juist de brief ontvangen. Wat moet ik zeggen? Het heeft geen nut je te smeken of je verwijten te doen. Je zou het niet goed begrijpen, het zelfs niet lezen.*

Bovendien heb ik altijd zeker geweten, dat je me eenmaal zou verraden. Reeds sedert acht jaar onderga ik de kwellingen der jaloezie. Ik begrijp wel, dat je me nooit verdriet hebt willen doen. Juist je zorgeloosheid, je lichtzinnigheid, de verleidelijke manier waarop je oneerlijk was, waren voor mij zo aanbiddelijk. Ik wist alles en ik heb toch van je gehouden.

Nee, lieveling, ik heb nooit de geringste illusie gehad. Herinner je je nog onze eerste ontmoeting in het Casino? Je was zeventien jaar en verrukkelijk mooi. De volgende dag heb je mij toebehoord. Je hebt heel lief tegen me gezegd dat je van me hield en dat ik de eerste was. Mijn arm kind, je hebt gelogen. Je lachte in je eentje om mijn naïeveteit - er was waarlijk reden tot lachen! Sedert onze eerste kus heb ik dit ogenblik voorzien.

Maar luister eens, Simone. Ik ben zwak genoeg om je precies te willen onthullen waar je me toe hebt gebracht. Acht jaar geleden, aan de vooravond van de oorlog, was ik rijk - niet zo rijk als je Amerikaan, maar rijk genoeg om je te geven wat je wilde. Voor de oorlog was je minder veeleisend, Simone - wie heeft je tijdens mijn afwezigheid die hang naar weelde bijgebracht? Welnu, aangezien een groot deel van mijn vermogen in Rusland en in Duitsland was belegd, heb ik er drie kwart van verloren. Wat ik in Frankrijk overhield was sterk in waarde gedaald. Weliswaar had ik mijn traktement als kapitein van het Britse leger, maar dat is zoals je weet niet veel.

Weet je wat ik gedaan heb? Nee - je hebt er nooit aan gedacht je af te vragen waar dat geld vandaan kwam. Wat kon het jou schelen, dat ik alles heb weggegooid - fortuin, eer, geluk - om je te kunnen bezitten? Ik heb gespeeld, wanhopig, hartstochtelijk - ik heb nog erger gedaan: ik heb vals gespeeld. Ik zie je je schouders opha-

173

len - je lacht - je zegt: Tjonge, dat is lelijk!

Bovendien, het kon zo niet langer voortgaan. Reeds heeft men mij op een avond in Parijs een onaangename scène gemaakt, hoewel men niets heeft kunnen bewijzen. Toen heb ik me verloofd met dat meisje, waarover ik je heb verteld, de zuster van de Engelse hertog. Een fraai plan, inderdaad! Mijn vriendin onderhouden met het geld van mijn vrouw. En ik zou het gedaan hebben - en ik zou het morgen nog doen, als ik je daardoor terug kon krijgen.

Enfin, de goede hertog bezit een domheid, die mij goed van pas komt. Hij laat zijn revolver in de la van zijn bureau slingeren. Bovendien heeft hij mij zojuist om opheldering gevraagd omtrent die geschiedenis bij het kaartspel. Je ziet dat het spel in ieder geval uit is. Men zal mijn zelfmoord ongetwijfeld toeschrijven aan mijn vrees, dat ik aan de kaak zou worden gesteld. Des te beter, ik wil niet dat de kranten over mijn liefdesaffaire uitweiden.

Vaarwel, mijn lieveling. Je zult nooit meer mijn hart doorboren. O! Ik ben wild - ik ben krankzinnig van smart! Vaarwel.

DENIS CATHCART

hoofdstuk 18

NA DE VOORLEZING VAN DE BRIEF van Cathcart werkte zelfs de verschijning van de beschuldigde in de getuigenbank als een anti-climax. Tijdens het kruisverhoor door de advocaat-generaal hield hij strak en stijf vol, dat hij verscheidene uren over de heide had gezworven, zonder iemand te ontmoeten, hoewel hij gedwongen was toe te geven dat hij om 11.30 uur naar beneden was gegaan en niet om 2.30 uur, zoals hij bij de lijkschouwing had verklaard. Sir Wigmore Wrinching legde hierop sterk de nadruk. Hij deed een heftige poging om het vermoeden te vestigen, dat Cathcart Denver had gechanteerd en stelde zijn vragen met zoveel aandrang, dat sir Impey Biggs, Murbles, lady Mary en Bunter er zenuwachtig van werden en het gevoel kregen dat de ogen van de geleerde rechter de muren naar de kamer daarnaast doorboorden, waar, afgezonderd van de andere getuigen, mevrouw Grimethorpe zat te wachten.

Na de lunch rees sir Impey Biggs op, om zijn pleidooi als verdediger te houden.

'My lords, - Uw lordschappen hebben geluisterd naar de verklaringen van mijn edele cliënt, waarmee hij zich heeft verweerd tegen de vreselijke aanklacht van moord. U hebt geluisterd, terwijl als 't ware uit zijn smalle graf de dode zijn stem heeft verheven om u het verhaal van die noodlottige nacht van de dertiende oktober te vertellen. Ik ben er zeker van, dat er in uw hart geen twijfel leeft aan de waarheid van dit verhaal.

'De edelman in de beklaagdenbank is ten overstaan van uw lordschappen beschuldigd van moord op deze jongeman. Dat hij aan het ten laste gelegde volkomen onschuldig is, moet, in het licht van hetgeen wij gehoord hebben, uw lordschappen zo duidelijk zijn, dat ieder woord van mij geheel overbodig zou kunnen schijnen. In de meeste gevallen van deze aard is de bewijslast verward en tegenstrijdig; hier echter is de loop der gebeurtenissen zo duidelijk, zo samenhangend, dat wij nauwelijks een levendiger en nauwkeuriger beeld van de gebeurtenissen van die nacht zouden kunnen hebben. Inderdaad: indien de dood van Denis Cathcart het enige voorval van die nacht was geweest, dan zou er nooit één ogenblik twijfel aan de waarheid hebben geheerst. Daar echter door een wonderlijke samenloop van omstandigheden de geschiedenis van Denis Cathcart verwikkeld is geraakt met zoveel andere gebeurtenissen, wil ik pogen haar nog eens van het begin af te schilderen, opdat er geen punt in het duister blijve.

'Laat mij daarom teruggaan naar het begin. U hebt gehoord hoe Denis Cathcart uit een onderling sterk verschillend ouderpaar is geboren. Tot zijn achttiende jaar woont hij met zijn ouders op het continent, reist van plaats tot plaats, en ziet zelfs meer van de wereld dan de gemiddelde Fransman van zijn leeftijd.

'Op achttienjarige leeftijd treft hem een verschrikkelijk verlies. In een zeer kort tijdsverloop verliest hij zijn beide ouders. De vader liet zijn zoon aan de hoede van zijn zuster over, die hij sedert vele jaren niet had gezien, met de aanwijzing dat de jongen naar zijn eigen oude universiteit moest worden gestuurd.

'My lords, u hebt mejuffrouw Lydia Cathcart gezien en haar verklaringen gehoord. U zult u er rekenschap van hebben gegeven met hoeveel oprechtheid, hoe consciëntieus, met hoeveel christelijke zelfverloochening zij de haar toevertrouwde taak heeft vervuld en hoe het haar toch noodzakelijkerwijs moest mislukken om tussen zich en haar jeugdige pupil de band van een ware genegenheid te vestigen. Hij belandde in Cambridge in het gezelschap van jongemannen, die volkomen anders dan hij waren grootgebracht. Een jongeman met zijn kosmopolitische ervaring moet de jeugd van Cambridge, met haar sport, haar grappen, haar naïeve nachtelijke wijsgerige gesprekken, ongelooflijk kinderachtig hebben gevonden.

'Uit werelds oogpunt beschouwd, ging het hem voor de wind, en het feit dat hij op eenentwintigjarige leeftijd een behoorlijk vermogen erfde, scheen de weg naar het grootst mogelijke succes voor hem te banen. Zodra hij Tripos had gedaan, schudde hij het academische stof van Cambridge van zijn schoenen, ging naar Frankrijk, vestigde zich in Parijs en begon zich een plaatsje te veroveren in de wereld der internationale politiek.

'Maar nu komt in zijn leven die verschrikkelijke invloed, die hem van fortuin, eer, ja van het leven zelf zou beroven. Hij wordt verliefd op een jonge vrouw. Hij wordt naar lichaam en ziel betoverd, als een Chevalier des Grieux, door Simone Vonderaa.

'U gelieve erop te letten, dat hij in deze zaak de strenge continentale code volgt: volkomen toewijding, volkomen discretie. U hebt gehoord hoe rustig hij leefde, hoe *rangé* hij scheen te zijn. Onder het bewijsmateriaal bevindt zich zijn bankrekening, met de grote cheques die hij op zichzelf heeft getrokken en die hij in bankbiljetten van kleine coupures heeft geïnd; met haar geregelde, ieder kwartaal in voldoende mate toenemende, spaargelden. Het leven is ruimer geworden voor Denis Cathcart. Rijk, eerzuchtig, in het bezit van een mooie en welwillende maîtresse, ligt de wereld voor hem open.

'Dan, my lords, wordt zijn veelbelovende carrière onderbroken door het uitbreken van de Wereldoorlog, die zijn reserves meedogenloos vernietigt, zijn eerzuchtige dromen te niet doet en ook hier, zoals overal, alles wat het leven mooi en begeerlijk maakt, verwoest.

'U hebt vernomen van Denis Cathcarts uitstekende staat van dienst gedurende de oorlog. Daar hoef ik niet bij stil te blijven staan. Zoals duizenden andere jongemannen heeft hij zich in die vijf jaren van inspanning en ontgoocheling dapper gehouden, maar na afloop moest hij tot de ontdekking komen dat hij weliswaar gespaard en gezond was gebleven, maar dat hij temidden van puinhopen verder moest gaan.

'Van zijn groot vermogen is niets meer over. U zegt misschien: wat hinderde dat voor een jongeman met zoveel talent, zulke uitstekende connecties, zoveel gunstige vooruitzichten? Hij hoefde slechts een paar jaar rustig te wachten om bijna alles wat hij verloren had weer op te bouwen. Helaas! my lords, hij kon zich niet veroorloven te wachten. Hij liep gevaar iets te verliezen, dat hem meer waard was dan fortuin en eerzucht; hij had veel geld nodig en gauw.

'My lords, in die aandoenlijke brief, die wij hebben horen voorlezen, is niets zo aangrijpend en verschrikkelijk als de bekentenis: "Ik heb altijd geweten dat je me eenmaal zou verraden."

'My lords, Denis Cathcart is dood. Het is niet aan ons hem te veroordelen, maar om hem te begrijpen en medelijden met hem te hebben.

'My lords, wij moeten niet te scherp over de vrouw oordelen. Volgens haar eigen opvattingen heeft ze hem niet onrechtvaardig behandeld. Ze moest aan haar eigen belangen denken. Zolang hij haar betaalde kon ze hem schoonheid, hartstocht, een goed humeur en een zekere trouw bieden. Toen hij haar niet meer kon betalen, was het voor haar heel normaal een andere verbintenis te zoeken. Cathcart begreep dit. Hij moest geld hebben, hoe dan ook. En zo ging het onvermijdelijk bergafwaarts en werd hij tot zijn diepste vernedering gedwongen.

'Op dit ogenblik, my lords, komt de ongelukkige Denis Cathcart in het leven van mijn edele cliënt en diens zuster. Op dit ogenblik beginnen al die verwikkelingen, die tot de tragedie van de veertiende oktober hebben geleid.

'Ongeveer anderhalf jaar geleden ontmoette Cathcart de hertog van Denver, wiens vader vele jaren geleden bevriend was met de vader van Cathcart. Zij werden vrienden en Cathcart ontmoette lady Mary Wimsey, die (zoals zij ons heel eerlijk heeft verteld) destijds geen raad meer wist. Lady Mary voelde behoefte aan een eigen basis en accepteerde Denis Cathcart op voorwaarde, dat ze haar eigen leven op haar eigen manier zou kunnen leiden, met een minimum aan inmenging. Wat Cathcarts bedoelingen hierbij betreft, daarover bezitten wij zijn eigen bittere opmerking, die ik niet beter zou kunnen formuleren: "Mijn vriendin onderhouden met het geld van mijn vrouw." Zo slepen de zaken zich tot oktober van dit jaar voort. Cathcart is nu gedwongen een groot deel van zijn tijd in Engeland bij zijn verloofde door te brengen en Simone Vonderaa onbewaakt achter te laten. Tot dusver schijnt hij zich nogal veilig te hebben gevoeld; het enige bezwaar was, dat lady Mary nog steeds had vermeden de datum van de huwelijksvoltrekking te bepalen. Intussen heeft de heer Cornelius van Humperdinck, de Amerikaanse miljonair, Simone gezien.

'Maar de verloving gaat lady Mary hoe langer hoe meer dwars zitten. Op dit kritieke ogenblik komt er plotseling een betrekking voor Goyles opdagen, een bescheiden, maar vaste positie, die hem in staat zou stellen een vrouw te onderhouden. Lady Mary doet haar keus. Ze stemt erin toe zich door Goyles te laten schaken. Door een hoogst ongelukkig toeval is het vastgestelde tijdstip 3 uur in de morgen van de veertiende oktober.

'Woensdag, 13 oktober om ongeveer half tien in de avond maakt het gezelschap in Riddlesdale Lodge zich op om naar bed te gaan. De hertog van Denver was in de wapenkamer. De andere mannen waren in de biljartkamer. De vrouwen waren al naar boven. Toen kwam de knecht Fleming met de avondpost uit het dorp. Voor de hertog van Denver bracht hij een brief mee met schokkend en onplezierig nieuws. Voor Denis Cathcart had hij ook een brief, en u hebt uit de verklaringen van meneer Arbuthnot vernomen, dat Cathcart, alvorens deze brief te lezen, opgewekt en vol hoop naar boven was gegaan. Hij zei dat hij hoopte dat er spoedig een datum voor het huwelijk zou worden vastgesteld. Even over tienen, toen de hertog van Denver naar boven ging om hem op te zoeken, had er een grote verandering plaatsgevonden. Is het zeer moeilijk, my lords, gelet op hetgeen wij heden hebben gehoord, te raden wat voor bericht Denis Cathcart inmiddels had bereikt, een bericht waardoor zijn hele kijk op het leven veranderde?

'Op dit ongelukkige ogenblik, waarop Cathcart voor het verbijsterende feit wordt geplaatst, dat zijn vriendin hem heeft verlaten, komt de hertog van Denver met een vreselijke beschuldiging. En als Cathcart weigert de beschuldiging te ontkennen, wanneer hij verklaart dat hij niet langer bereid is te trouwen met het adellijke meisje, waarmee hij verloofd is - is het dan verwonderlijk dat de hertog zich tegen de bedrieger keert en hem verbiedt ooit nog toenadering te zoeken of het woord te richten tot lady Mary Wimsey? Ik zeg, my lords, dat geen man met een sprankje eergevoel anders zou hebben gehandeld. Mijn cliënt volstaat ermee Cathcart te gelasten de volgende dag het huis te verlaten; en als Cathcart als waanzinnig de deur uitsnelt, de stormachtige nacht in, roept hij hem toe terug te komen en getroost zich zelfs de moeite de knecht te zeggen, dat hij ten gerieve van Cathcart de serredeur moet openlaten.

'En nu zou ik de aandacht van uw lordschappen willen vestigen op de uiterst zwakke grondslag van de beschuldiging tegen mijn cliënt, voorzover het de beweegredenen betreft. Men heeft gezegd, dat de oorzaak van de twist tussen hen niet die was, welke de hertog van Denver bij zijn verhoor heeft genoemd, maar iets dat van nóg persoonlijker aard voor hen was. Voor deze bewering is geen schaduw van bewijs geleverd, behalve dan door de getuige Robinson, die een onbeduidende toespeling tot een zaak van groot gewicht heeft opgeblazen. Wij hebben onzerzijds daarentegen kunnen aantonen, dat de aangevoerde beschuldiging volkomen op de feiten steunde.

'Cathcart snelt dus de tuin in. Hij loopt achteloos rond in de gutsende regen, met een toekomst voor ogen, die eensklaps beroofd is van liefde, rijkdom en eer.

'En inmiddels gaat er een gangdeur open en dalen voeten tersluiks de trap af. Wij weten nu wie het was. Het is de hertog van Denver.

'Men heeft geopperd, dat de hertog bij nader inzien besluit dat Cathcart een gevaar voor de maatschappij is en beter dood kan zijn. En men verzoekt ons te geloven, dat de hertog naar beneden sluipt, zijn revolver uit het schrijfbureau in de studeerkamer neemt, de nacht in gaat, Cathcart vindt en hem in koelen bloede afmaakt.

'My lords, is het noodzakelijk dat ik u op de volslagen absurditeit van dit vermoeden wijs? Wat voor reden kon de hertog van Denver hebben om zo koelbloedig een man te vermoorden, van wie hij zich met een enkel woord reeds voorgoed heeft bevrijd?

'En hier wens ik de aandacht van uw lordschappen te vestigen op de zeer belangrijke verklaring, die inspecteur Parker ten aanzien van de kwestie van het studeerkamerraam heeft afgelegd. Hij heeft u verteld, dat de raamwervel van buitenaf was geforceerd door hem met een mes terug te duwen. Indien het de hertog van Denver is geweest, die om half twaalf in de studeerkamer was, welke reden had hij dan om het raam te forceren? Hij was reeds in huis. Wanneer wij bovendien horen, dat Cathcart een mes op zak had en dat er krassen op het lemmet zijn, zoals veroorzaakt kunnen worden door het wegduwen van een metalen klamp, dan wordt het wel overduidelijk, dat niet de hertog, maar Cathcart zelf het raam heeft geforceerd en naar binnen is gekropen om het pistool te halen. Maar er is geen reden om nader op dit punt in te gaan - wij *weten* dat kapitein Cathcart op dat tijdstip in de studeerkamer was, want als bewijs daarvoor hebben wij het vel vloeipapier gezien, waarop hij zijn brief aan Simone Vonderaa heeft afgevloeid. En lord Peter Wimsey heeft zelf dit vel van het vloeibloc in de studeerkamer een paar dagen na de dood van Cathcart verwijderd.

'En laat mij thans uw aandacht vestigen op één punt in de verklaringen. De hertog van Denver heeft ons verteld, dat hij kort voor de noodlottige dertiende oktober, toen hij en Cathcart bijeen waren, de revolver in zijn la heeft zien liggen.'

De Lord High Steward: 'Eén ogenblik, sir Impey, dat komt niet helemaal met mijn aantekeningen overeen. Ik zal voorlezen wat ik hier heb. "Ik zocht naar een oude foto van Mary, om aan Cathcart te geven, en toen vond ik hem." Er staat niet, dat Cathcart erbij was.'

Advocaat: 'Misschien wil uw lordschap ook de volgende zin voorlezen -'

L.H.S.: 'Zeker. De volgende zin luidt: "Ik herinner me dat ik toen zei dat hij zo roestig werd."'

Advocaat: 'En de volgende?'

L.H.S.: ' "Tegen wie hebt u die opmerking gemaakt?" Antwoord: "Dat weet ik werkelijk niet, maar ik herinner me duidelijk dat ik het heb gezegd." '

Advocaat: 'Ik ben uw lordschap zeer verplicht. Toen de hertog die opmerking maakte, was hij een paar foto's aan 't opzoeken om aan kapitein Cathcart te geven. Ik geloof dat het een redelijke veronderstelling is, dat de opmerking tegenover de overledene werd gemaakt.

'Zoals u hebt gehoord stak de sleutel altijd in het slot

van de bureaula. Cathcart had zelf voortdurend gelegenheid om hem te zien, als hij naar een envelop zocht of naar zegellak of wat niet al. In ieder geval stel ik dat de geluiden die kolonel en mevrouw Marchbanks woensdagnacht hebben gehoord, van Denis Cathcart afkomstig waren. Terwijl hij zijn afscheidsbrief schreef, misschien met het pistool voor zich op tafel - ja, op datzelfde ogenblik glipte de hertog van Denver de trap af en door de serredeur naar buiten. Het is de ongelooflijke kant van deze zaak, dat wij steeds weer stuiten op twee reeksen gebeurtenissen, die niets met elkaar te maken hebben, maar op hetzelfde tijdstip vallen en eindeloze verwarring veroorzaken.

'Om half twaalf gaat de hertog naar beneden en Catncart gaat de studeerkamer binnen. De geleerde heer advocaat-generaal heeft bij zijn kruisverhoor van mijn edele cliënt zeer terecht zoveel mogelijk munt geslagen uit het verschil tussen hetgeen hij als getuige bij de lijkschouwing verklaarde - namelijk dat hij het huis pas om half drie heeft verlaten - en zijn verklaring van thans: dat hij het om half twaalf verliet.

'Grote nadruk is ook gelegd op het feit, dat de edele hertog niet in staat is geweest zijn alibi gedurende de tijd van twaalf tot drie uur in de morgen op te geven. Maar, my lords, indien hij de waarheid spreekt, wanneer hij zegt dat hij al die tijd op de heide heeft gewandeld zonder iemand te ontmoeten, hoe zou hij zijn alibi dan kunnen bewijzen? Zijn verhaal is door geen enkele verklaring gelogenstraft. En het is aannemelijk dat hij na het toneel met Cathcart niet heeft kunnen slapen en een wandeling is gaan maken om tot kalmte te komen.

'Inmiddels heeft Cathcart zijn brief voltooid en werpt die in de postzak. Geen enkel element in deze zaak is zo ironisch als deze brief. Terwijl het lichaam van een vermoorde man open en bloot op de drempel lag en detectives en doktoren overal naar aanwijzingen zochten, lag de brief, die de hele geschiedenis behelsde, rustig in de postzak, tot hij eruit werd genomen en op de post gedaan, om twee maanden later ten koste van reusachtige uitgaven, met veel vertraging en levensgevaar te worden teruggehaald.

182

'Boven was lady Mary Wimsey bezig met het pakken van haar koffer en het schrijven van een afscheidsbrief aan haar familie. Eindelijk schrijft Cathcart zijn naam neer, hij neemt de revolver en snelt naar het bosje. Hij loopt nog heen en weer. Hij herinnert zich het kleine liefdespand, de platina-en-diamanten kat, die zijn maîtresse hem als mascotte had gegeven! In ieder geval wil hij niet sterven terwijl *die* aan zijn hart rust. Met een woedend gebaar werpt hij hem ver van zich af.

'Hij plaatst de revolver op zijn borst en haalt de trekker over. Met een korte kreet valt hij op de doorweekte grond. Het wapen valt uit zijn hand, zijn vingers tasten nog even naar zijn borst.

'De jachtopziener, die het schot heeft gehoord, is verwonderd, dat er zo dichtbij stropers zijn. Hij neemt zijn lantaarn en begint in de stromende regen te zoeken. Niets. Hij komt tot de conclusie dat zijn oren hem hebben bedrogen en keert naar zijn warme bed terug. Middernacht gaat voorbij.

'De regen is nu minder hevig. Kijk! Daar in het bosje beweging. De neergeschoten man krabbelt overeind. Zijn tastende handen gaan naar de wond in zijn borst. Hij haalt een zakdoek te voorschijn en drukt die op de plek. Hij sleept zich voort. De zakdoek valt op de grond en blijft daar naast de revolver tussen de gevallen bladeren liggen.

'Iets in zijn gekwelde hersens zegt hem dat hij naar het huis terug moet kruipen, en dan volbrengt hij de vreselijke, nachtmerrie-achtige tocht. Eindelijk: de serredeur! Hij poogt zich uit alle macht op te richten. Hij richt zich op. Een vreselijke hikkende hoest overvalt hem - het bloed stroomt uit zijn mond. Hij valt neer. Alles is voorbij. Opnieuw verstrijken de uren. Drie uur, het uur van de afspraak, is nabij. Vurig springt de jonge minnaar over de muur en snelt het bosje door, om zijn aanstaande bruid te begroeten. Hij komt bij de serredeur, waardoor over enige ogenblikken liefde en geluk hem tegemoet zullen treden. En op dat moment struikelt hij over - het dode lichaam van een man!

'Vrees overvalt hem. Hij hoort een verre voetstap. Met slechts één gedachte rent hij het bosje in. Op hetzelfde ogenblik komt de hertog van Denver met ferme tred het pad op en vindt de geestdriftige bruid over het lichaam van haar verloofde gebogen.

'My lords, de rest is duidelijk. Lady Mary Wimsey werd door de uiterlijke schijn der dingen tot de vreselijke verdenking gebracht, dat haar minnaar een moord had begaan en begon - met welk een moed, dat zal iedere man onder u beseffen - te verheimelijken dat George Goyles ooit ten tonele was verschenen. Uit dit onberaden optreden van haar is veel geheimzinnigheid en verbijstering voortgevloeid. En toch, my lords, ten overstaan van zulk een ridderlijkheid zal niemand onzer een woord van blaam jegens dit dappere meisje over zijn lippen kunnen krijgen.

'Ik geloof, my lords, dat ik verder niets heb te zeggen. Aan u laat ik de hoge en verheugende taak de edele hertog, uw metgezel, van deze onrechtvaardige beschuldiging te zuiveren.

'My lords, het is uw gelukkig voorrecht zijn hoogheid de hertog van Denver weer in het bezit te stellen van de traditionele zinnebeelden van zijn hoge rang. Wanneer de griffier van dit Huis u hoofd voor hoofd de plechtige vraag zal stellen: Acht u Gerald, hertog van Denver, burggraaf St. George, schuldig of niet schuldig aan het verschrikkelijke misdrijf van moord, dan zal ieder uwer zijn hand op zijn hart kunnen leggen en zeggen: Niet schuldig, op mijn eer.'

hoofdstuk 19

TERWIJL DE ADVOCAAT-GENERAAL bezig was met de ondankbare taak om te pogen datgene te verdoezelen, wat niet alleen duidelijk was, maar met ieders gevoelen overeenstemde, sleepte lord Peter Parker mee naar een eethuis aan de overkant van de straat en luisterde boven een reusachtig bord ham en eieren naar een kort verslag van mevrouw Grimethorpe's plotselinge verschijning in de stad en een lang van lady Mary's kruisverhoor.

De menigte op het parlementsplein kwam in beweging en begon zich te verspreiden. Dunne stromen mensen begonnen de straat over te steken. Een scharlaken vlek verscheen tegen de grijze steen van de St. Stephen. De klerk van Murbles kwam eensklaps naar de deur gerend.

'In orde, my lord - vrijgesproken - met algemene stemmen - en wilt u alstublieft naar de overkant komen, my lord?'

Ze snelden naar buiten. Bij het zien van lord Peter hieven enkele opgetogen omstanders een gejuich aan. De sterke wind schoot plotseling over het plein en deed de scharlaken gewaden van de te voorschijn komende edelen wijd uitstaan. Lord Peter wrong zich tussen de mensen door, tot hij het centrum van de groep had bereikt. 'Excuseert u me, hoogheid!'

Het was Bunter. Bunter die daar als bij toverslag verscheen, de armen vol scharlaken en hermelijn, en daarmee het beschamende blauw sergo pak omhulde, dat als een negatief onderscheidingsteken was geweest.

'Veroorloof mij u mijn eerbiedige gelukwensen aan te bieden, hoogheid.'

'Peter,' zei de hertog. 'Eh - dank je, ouwe jongen.'

'In orde, hoor,' zei Wimsey. 'Erg leuke reis en zo. Je ziet er uitstekend uit. Nee, geen handjes geven.'

Door de dringende menigte baanden zij zich een weg naar de auto's. De twee hertoginnen stapten in en de hertog volgde hen, toen een kogel door het raampje vloog, Denvers hoofd op een haar miste en van het windscherm terugketste tussen de menigte.

Geren en gegil. Een man met een grote baard worstelde even met drie agenten. Toen volgde er een reeks wilde schoten en een verwoed geren; de menigte stoof uiteen, sloot zich toen weer tezamen, als honden om de vos en stroomde langs de parlementsgebouwen in de richting van Westminster Bridge.

'Hij heeft een vrouw doodgeschoten - hij zit onder die bus - nee, dat is hij niet - hei! - moord! houdt hem.'

Schrille kreten en gillen - snerpende politiefluitjes - agenten die uit alle hoeken kwamen aansnellen - in taxi's doken - renden.

De chauffeur van een taxi die over de brug reed zag het woeste gezicht vlak voor zijn motorkap en trapte op de rem, terwijl de vingers van de waanzinnige de trekker voor het laatst omklemden. Het schot en het springen van de band weerklonken bijna tegelijk; de taxi tolde als dronken naar rechts, schepte de vluchteling en botste met een vreselijke slag op een tramwagen, die leeg aan het uiteinde van het Embankment stond.

'Ik kon het niet helpen,' gilde de taxichauffeur, 'hij schoot op me.'

Lord Peter en Parker kwamen tegelijkertijd aangesneld. Zij hijgden.

'Luister, agent,' zei Wimsey buiten adem, 'ik ken die man. Hij heeft een afschuwelijke wrok tegen mijn broer. In verband met een kwestie wegens stropen - in Yorkshire. Zeg tegen de coroner dat hij bij mij moet komen om inlichtingen.'

'Uitstekend, my lord.'

Een roodharige verslaggever doemde met een opschrijfboekje uit het niets op.

'Aha,' zei lord Peter, 'wilt u het verhaal hebben? Ik zal het u meteen vertellen.'

De zaak met mevrouw Grimethorpe veroorzaakte tenslotte niet de geringste moeilijkheid. Zelden misschien heeft een hertogelijk slippertje zo weinig nasleep gehad. Indien zijne hoogheid iets was, dan was hij een gentleman. Hij bereidde zich dapper op een smartelijk onderhoud voor. Maar bij deze gelegenheid ging de zaak als een nachtkaars uit. De vrouw toonde geen belangstelling.

'Ik ben nu vrij,' zei ze. 'Ik ga terug naar mijn eigen familie in Cornwall. Ik wil niets, nu hij dood is.'

Lord Peter bracht haar naar een klein, behoorlijk hotel in Bloomsbury.

Vroeg in de morgen kwam de agent Sugg toevallig over het parlementsplein. Hij trof daar een taxichauffeur aan, die blijkbaar een vurig vertoog richtte tot het standbeeld van lord Palmerston. Daar dit zinneloze gedoe zijn verontwaardiging wekte, trad Sugg naderbij en zag toen, dat de staatsman zijn voetstuk deelde met een heer in avondkostuum, die zich hoogst gevaarlijk met één hand vasthield, terwijl hij met de andere een lege champagnefles bij zijn oog hield en de omringende straten overzag.

'Hola,' zei de politieman, 'wat doet u daar? Kom naar beneden!'

'Goeie dag!' zei de heer, die onverwachts zijn evenwicht verloor en omlaag tuimelde. 'Hebt u mijn vriend ook gezien? Freddy - goeie ouwe Freddy.' Hij krabbelde overeind en keek de agent stralend aan.

'Nee maar! Als dat zijn lordschap niet is!' zei Sugg, die lord Peter onder andere omstandigheden had ontmoet. 'U kunt beter naar huis gaan, my lord. De nachtlucht is koud, nietwaar? U vat nog kou. Hier is uw taxi - stapt u nou maar in.'

'Nee,' zei lord Peter. 'Nee. Dat zou ik niet kunnen. Niet zonder mijn vrind. Goeie ouwe Freddy. Nooit - verlaat - ik - mijn vrind. Goeie ouwe Sugg. Freddy zou ik niet kunnen verlaten.' Hij poogde één voet op de treeplank van de taxi te zetten, maar daar hij zich in de afstand misrekende, stapte hij diep in de goot en belandde zo onverwachts met zijn hoofd vooraan in het voertuig.

Sugg probeerde zijn benen naar binnen te duwen en hem op te sluiten, maar zijn lordschap dwarsboomde dit gebaar met onverwachte bewegingen en ging vastberaden op de treeplank zitten.

'Mijn taxi niet,' verklaarde hij plechtig. 'Freddy's taxi. Niet juist - met de taxi van een vriend er vandoor gaan. Ik ben alleen maar even de hoek om gegaan om Freds taxi te halen - Freddy is de hoek om gegaan om *mijn* taxi te halen - een taxi voor een vriend te halen - vriendschap is zo'n mooi ding - vind je ook niet, Sugg? Daar heb je die goeie ouwe Parker.'

'Meneer Parker?' zei de agent geschrokken. 'Waar?'

'Sst!' zei zijn lordschap. 'Maak het kind niet wakker.'

De verschrikte Sugg volgde de blik van zijn lordschap en zag zijn meerdere in rang behaaglijk weggedrongen tegen de andere kant van Palmerston zitten en in zijn slaap gelukkig glimlachen. Met een ontstelde kreet boog hij zich over de slaper heen en schudde hem.

'Onaardig!' riep lord Peter op zware, verwijtende toon. 'Die arme kerel storen - arme hard werkende politieman.'

Sugg verspilde geen woorden, maar nam de slapende Parker op en hees hem in de taxi.

'Nooit - nooit - verlaat ik -' begon lord Peter, terwijl hij weerstand bood aan alle pogingen om hem van de treeplank te verwijderen. Toen kwam er uit de richting Whitehall een tweede taxi aanzetten, waarin de honourable Freddy Arbuthnot luidkeels juichend voor het raampje zat.

'Kijk daar eens!' riep de honourable Freddy. 'Goeie, goeie, goeie ouwe Sugg. Laten we allemaal samen naar huis gaan.'

'Dat is *mijn* taxi,' viel zijn lordschap hem in de rede, terwijl hij er waardig naar toe waggelde. De twee mannen draaiden samen even rond. Toen werd de honourable Freddy in de armen van Sugg geworpen, terwijl zijn lordschap de nieuwe chauffeur voldaan toeriep: 'Naar huis!' en onmiddellijk in een hoek van het voertuig in slaap viel.

Sugg krabde op zijn hoofd, gaf het adres van lord Peter en zag de auto wegrijden. Toen, terwijl hij de honourable Freddy tegen zijn brede borst liet steunen, zei hij tegen de andere chauffeur, dat hij meneer Parker naar 12a Great Ormond Street moest brengen.

'Breng me naar huis,' riep de honourable Freddy uit, terwijl hij in tranen uitbarstte. 'Ze zijn allemaal weggegaan en hebben mij in de steek gelaten!'

'Laat u het maar aan mij over, meneer,' zei de agent.

Hij keek over zijn schouder naar de St. Stephen, waar een groep Lagerhuisleden verscheen, die van een nachtzitting kwamen.

'Meneer Parker in eigen persoon,' zei Sugg en voegde er vroom aan toe: 'Goddank dat er geen getuigen waren.'

Stuk voor stuk
voortreffe-lijk
en superspannend

PRISMA
DETECTIVE

Van geliefde auteurs als:

John Franklin Bardin
Paula Gosling
Tim Heald
Richard Hoyt
Ngaio Marsh
Margaret Millar
Robert B. Parker
Ellery Queen
Ruth Rendell
Dorothy L. Sayers
Josephine Tey
Edgar Wallace
en anderen

PRISMA
POCKET

Bij de boekhandel

Crimineel avontuur in

PRISMA
MISDAAD

Stuk voor stuk
moordboeken van
beroemde auteurs als:

Jeffrey Archer
Malcolm Bosse
Paula Gosling
Michael Hartmann
George Markstein
Kenneth Royce
en anderen

Bij de boekhandel